D1293034

documenta poetica / 132

FOREVER SOMEONE ELSE

selected poems

Fernando Pessoa

FOREVER SOMEONE ELSE
selected poems

translated by
RICHARD ZENITH

2nd edition (enlarged)

ASSÍRIO & ALVIM

ISBN 978-972-37-1379-4
EDIÇÃO 1282
1.ª EDIÇÃO NOVEMBRO 2008 / 2.ª EDIÇÃO (AUMENTADA) ABRIL 2010

CONTENTS

8

9

11

Introductory Note

The title of this book, like the selection of poems that follows, highlights what seems to be the central distinguishing characteristic of Fernando Pessoa: his instinctive tendency to otherness. Though perhaps it would be better to put "central" in quotation marks, since for this writer no center existed. His point of view was eloquently expressed by his self-division, or self-multiplication, into dozens of literary personalities whose names signed a large part of his sprawling output. Pessoa conceived biographies and complex mental and emotional lives for three of those personalities, whom he termed "heteronyms" — fictional *others* who are themselves something other than what, at first glance, they appear to be. Although identifying himself as a keeper of sheep, Alberto Caeiro, the supposed master of the other two heteronyms and of Pessoa-himself, admits in the first verse of his first poem (p. 27) that he never actually kept any sheep. Álvaro de Campos was a dandy who proposed to live excessively, without limits, but in the poem that exuberantly opens with his motto, "To feel everything in every way" (p. 157), he confesses that he "Prefers thinking about smoking opium to smoking it / And likes looking at absinthe more than drinking it." Ricardo Reis, a writer of tightly crafted Horatian-style odes, was the most conservative, circumspect and self-contained heteronym, but in his final ode (p. 133), written two weeks before Pessoa's death, he revealed that his inner life was an explosion of many different selves. Writing was his way of affirming an I. "I am what I write" is what, in effect, he says.

The principle announced by Reis was a life-long reality for Pessoa, who continually varied what he wrote, contradicting himself in the process. The compulsion to be forever someone else might have something to do with his upbringing. Born in Lisbon, in 1888, he lost his father to tuberculosis when he was five years old and at age seven went with his mother, who remarried, to live in Durban, the capital of the English colony of Natal, in South Africa. It was an utterly different setting, and a very different life, from what he had known in Portugal. Being shy, perhaps in part because he was a foreigner, he lived largely in a world of books and his imagination. After returning to Lisbon, at age 17, he lived for thirty more years with only occasional forays outside the city and its environs. Making his living as a free lance, he translated and wrote letters in English for firms that did business abroad. He had one amorous relationship, probably unconsummated, with a woman named Ofélia Queiroz. He published a number of poems and prose pieces in magazines and newspapers, and he self-published four chapbooks of poems he wrote in English. The only book of his Portuguese poetry to see print in his lifetime was *Mensagem* (1934), a collection of 44 poems constituting a visionary account of Portugal's past history and future destiny. He died in 1935.

There are writers who have experienced more disruption and dislocation in their childhood than Pessoa but without, on that account, having generated alter egos, let alone a poetics and ideology of pluralized selfhood. What led the Portuguese poet inevitably down that path was apparently another, prior compulsion: the search for truth coupled with an intuitive urge, as though it were an innate vow, to live his life according to the truth he found. The truth he discovered — namely that there is no overriding Truth, no unity, and no cohesive *a priori* self (a tripartite discovery, let us say) — was not in itself so original. Pessoa's originality lay in his acting on that truth, which was by no means merely personal. It was, in his view, the truth of existence, and his life served as a positive example of *how to be* in such tenuous ontological circumstances. He made his life an experiment, and regarded himself as a missionary. On a piece of paper deposited in a famous wooden trunk containing thousands of manuscripts still unpublished at his death, he copied out the 22nd verse from the ninth chapter of St. Paul's First Epistle to the Corinthians: "I became all things to all men, that I might save all" (Douay-Rheims version, akin to the Portuguese version, likewise translated from the Vulgate). Pessoa aspired to be (among other things) a modern apostle not of eternal salvation but of intensely flourishing life in this world. On another piece of paper he wrote, "Be plural like the universe!" Like the universe, and also like Fernando Pessoa.

Some scholars contend that the heteronyms represent a radical negation of the heteronymizer's own self. In fact they were a supreme act of self-affirmation. Since, in Pessoa's view, there is no given, pre-existing self, he could not very well negate it. Making fun of the Delphic oracle's most famous recommendation, Álvaro de Campos comments (p. 229): "I'm beginning to know myself. I don't exist." Instead of self-knowledge, Pessoa invokes self-creation. He invents himself, over and over and over. This does not occur in a vacuum, however. Inventions are conditioned by the environment, and by the particular genius of the inventor. Nothing — neither the environment, nor the inventor, nor even his genius that I have just called "particular" — is static, and nothing is totally free. We, and everything, are "servants of a vast flux," according to Ricardo Reis (p. 103), whose rather deterministic view of the world did not prevent him from offering occasional pieces of self-help advice, such as this one (p. 115): "Quit hoping and be who you are / Today. You alone are your life." It is precisely because a fixed I does not exist that Pessoa-qua-Reis enjoins us to be who we are at this point in time, today. Tomorrow we will be someone else.

Although Pessoa claimed not to be a man of action, and indeed was not in the typical sense (even if the vast oeuvre he managed to produce suggests otherwise), his way of existing in the world was by consciously acting — not in order to be something he wasn't, but to be what he was, at each unrepeating instant. According to the *ars poetica* set forth in his most translated poem, "Autopsychography" (p. 277), he even feigned the pain that he really felt. For artistic reasons, yes, but also to be doubly alive — in the flesh and in the imagination. Pessoa did not, could not, separate art from life. To imaginatively experience the pain one really feels is to make what was involuntary voluntary. It is to choose the life which has chosen us and which proliferates beyond all possibility of our controlling it, containing it, or understanding it. From one moment to the next that life is already, inexorably, something else. Pessoa's gospel to us was not that we should arbitrarily split ourselves into a bevy of conceptually fantastical personalities but that we should let go of the falsely singular self (along with the false security it promises) and be the myriad selves we are by nature.

This edition draws heavily from two previous books: *Fernando Pessoa & Co. — Selected Poems* (New York, Grove Press, 1998) and *A Little Larger Than the Entire Universe: Selected Poems* (New York and London, Penguin Books, 2006). I have imported 72 of the more than 300 poems published in those volumes, revisiting the translations and introducing a number of changes. Four poems from Pessoa's *Mensagem* were imported, without changes, from my complete translation of the work: *Message* (Lisbon, Oficina do Livro, 2008). Twenty-one additional translations — four signed by Caeiro, six by Reis, eight by Campos, and three by Pessoa himself — are unique to this edition. Pessoa's extensive body of English poetry, while important for understanding his poetic evolution (he wrote almost exclusively in that language until he was 20 years old) and interesting in its own right for the ideas it contains, lacks the immediacy of his Portuguese verse and is not liable to captivate readers in the same way.

This explains the small space given in this selection to his English poems — just seven examples.

Pessoa's manuscripts are frequently marked up with alternate words and phrases in between the lines and in the margins of his texts. Except in the case of the poems he himself published, Pessoa rarely got around to choosing among the alternatives and establishing definitive versions. His editors quarrel over whether to privilege his original wording, the last word or phrase he jotted down as a possible substitute, or some intermediate version. For this bilingual edition I have adopted whatever words or phrasings worked best in translation. Alternate wordings are referred to as "variants" in the endnotes, where only the more significant ones are recorded.

The reader seeking more translations and full-length introductions to Fernando Pessoa and his works should consult the three books cited in the penultimate paragraph. There is virtually no cross-over in those volumes, whether in the essay matter or in the selection of poems. In the book the reader has in hand, I have opted to let Pessoa (in his various guises) speak about Pessoa (and his various guises). Since I present only a few of the many pages he drafted to explain his poetic enterprise and the invented personalities he called heteronyms, a caution is in order: the creation story varied according to who (Pessoa, Campos, etc.) was telling it, and when. The best way to enter the world of Pessoa and his poetic personas is, naturally enough, by reading the poems.

RICHARD ZENITH

Pessoa on his Literary Personalities

There are authors who write plays and novels, and they often endow the characters of their plays and novels with feelings and ideas that they insist are not their own. Here the substance is the same, though the form is different.

Each of the more enduring personalities, lived by the author within himself, was given an expressive nature and made the author of one or more books whose ideas, emotions and literary art have no relationship to the real author (or perhaps only apparent author, since we don't know what reality is) except insofar as he served, when he wrote them, as the medium of the characters he created.

Neither this work nor those to follow have anything to do with the man who writes them. He doesn't agree or disagree with what's in them. He writes as if he were being dictated to. And as if the person dictating were a friend (and for that reason could freely ask him to write down what he dictates), the writer finds the dictation interesting, perhaps just out of friendship.

The human author of these books has no personality of his own. Whenever he feels a personality well up inside, he quickly realizes that this new being, though similar, is distinct from him — an intellectual son, perhaps, with inherited characteristics, but also with differences that make him someone else.

That this quality in the writer is a manifestation of hysteria, or of so-called personality dissociation, is neither denied nor affirmed by the author of these books. As the helpless slave of his self-multiplication, it would be useless for him to agree with one or the other theory about the written results of that multiplication.

(...)

The author of these books cannot affirm that all these different and well-defined personalities who have incorporeally passed through his soul don't exist, for he doesn't know what it means to exist, nor whether Hamlet or whether Shakespeare is more real, or truly real.

So far the projected books include: this first volume, The Book of Disquiet, *written by a man who calls himself Vicente Guedes[1]; then* The Keeper of Sheep, *along with other poems and fragments by Alberto Caeiro (deceased, like Guedes, and from the same cause[2]), who was born near Lisbon in 1889 and died where he was born in 1915. If you tell me it's absurd to speak that way about someone who never existed, I'll answer that I also have no proof that Lisbon ever existed, or I who am writing, or anything at all.*

This Alberto Caeiro had two disciples and a philosophical follower. The two disciples, Ricardo Reis and Álvaro de Campos, took different paths: the former intensified the paganism discovered by Caeiro and made it artistically orthodox; the latter, basing himself on another part of Caeiro's work, developed an entirely different system, founded exclusively on sensations. The philosophical follower, António Mora (the names are as inevitable and as independent from me as the personalities), has one or two books to write in which he will conclusively prove the metaphysical and practical truth of paganism. A second philosopher of this pagan school, whose name has still not appeared to my inner sight or hearing, will write an apology for paganism based on entirely different arguments.

Perhaps other individuals with this same, genuine kind of reality will appear in the future, or perhaps not, but they will always be welcome to my inner life, where they live better with me than I'm able to live with outer reality. Needless to say, I agree with certain parts of their theories, and disagree with other parts. But that's quite beside the point. If they write beautiful things, those things are beautiful, regardless of any and all metaphysical speculations about who "really" wrote them. If in their philosophies they say true things — supposing there can be truth in a world where nothing exists — those things are true regardless of the intention or "reality" of whoever said them.

---

[1] Erstwhile fictional author of *The Book of Disquiet*. In 1928 or 1929, Pessoa began to attribute this book to the equally fictional Bernardo Soares.

[2] Turberculosis.

(…)

In the vision that I call inner merely because I call the "real world" outer, I clearly and distinctly see the familiar, well-defined facial features, personality traits, life stories, ancestries, and in some cases even the death, of these various characters. Some of them have met each other; others have not. None of them ever met me except Álvaro de Campos. But if tomorrow, traveling in America, I were to run into the physical person of Ricardo Reis, who in my opinion lives there, my soul wouldn't relay to my body the slightest flinch of surprise; all would be as it should be, exactly as it was before the encounter. What is life?

(from an unfinished preface to Aspects, a planned collection of works
signed by the alter egos that Pessoa called "heteronyms")

A few more notes on this subject… I see before me, in the colorless but real space of dreams, the faces and gestures of Caeiro, Ricardo Reis and Álvaro de Campos. I gave them their ages and fashioned their lives. Ricardo Reis was born in 1887 (I don't remember the month and day, but I have them somewhere) in Oporto. He's a doctor and presently lives in Brazil. Alberto Caeiro was born in 1889 and died in 1915. He was born in Lisbon but spent most of his life in the country. He had no profession and practically no schooling. Álvaro de Campos was born in Tavira, on October 15th, 1890 (…). Campos, as you know, is a naval engineer (he studied in Glasgow) but is currently living in Lisbon and not working. Caeiro was of medium height, and although his health was indeed fragile (he died of TB), he seemed less frail than he was. Ricardo Reis is a wee bit shorter, stronger, but lean. Álvaro de Campos is tall (5 ft. 9 in., an inch taller than me), slim, and a bit prone to stoop. All are clean-shaven — Caeiro fair, with a pale complexion and blue eyes; Reis somewhat dark-skinned; Campos neither pale nor dark, vaguely corresponding to the Portuguese Jewish type,

21

but with smooth hair that's usually parted on one side, and a monocle. Caeiro, as I've said, had almost no education — just primary school. His mother and father died when he was young, and he stayed on at home, living off a small income from family properties. He lived with an elderly great-aunt. Ricardo Reis, educated in a Jesuit high school, is, as I've mentioned, a physician; he has been living in Brazil since 1919, having gone into voluntary exile because of his monarchist sympathies. He is a formally trained Latinist, and a self-taught semi-Hellenist. Álvaro de Campos, after a normal high school education, was sent to Scotland to study engineering, first mechanical and then naval. During some holidays he made a voyage to the Orient, which gave rise to his poem "Opiary". An uncle who was a priest from the Beira region taught him Latin.

How do I write in the names of these three? Caeiro, through sheer and unexpected inspiration, without knowing or even suspecting that I'm going to write in his name. Ricardo Reis, after an abstract meditation that suddenly takes concrete shape in an ode. Campos, when I feel a sudden impulse to write and don't know what.

(from a letter dated 13 January 1935)

Alberto Caeiro

I see him before me as I saw him that first time and as I will perhaps always see him: first of all those blue eyes of a child who has no fear, then the already somewhat prominent cheekbones, his pale complexion, and his strange Greek air, which was a calmness from within, not something in his outward expression or features. His almost luxuriant hair was blond, but in a dim light it looked brownish. He was medium to tall in height but with low, sloping shoulders. His visage was white, his smile was what it was, and likewise his voice, its tone never trying to say more than the words being said — a voice neither loud nor soft, just clear, without designs or hesitations or inhibitions. Those blue eyes couldn't stop gazing. If our observation noticed anything strange, it was his forehead — not high, but imposingly white. I repeat: it was the whiteness of his forehead, even whiter than his pale face, that endowed him with majesty. His hands were a bit slender, but not too, and he had wide palms. The expression of his mouth, which was the last thing one noticed, as if speaking were less than existing for this man, consisted of the kind of smile we ascribe in poetry to beautiful inanimate things, merely because they please us — flowers, sprawling fields, sunlit waters. A smile for existing, not for talking to us.

My master, my master, departed so young! I see him again in the shadow I inwardly am, in my memory of what has died in me.

*

The work of Caeiro is divided, not just in his book but in actual fact, into three parts: The Keeper of Sheep, The Shepherd in Love, *and that third part that Ricardo Reis aptly titled* Uncollected Poems[1]. The Shepherd

---

[1] "Miscellaneous poems that don't form a whole" is the more exact meaning of *Poemas Inconjuntos*, the Portuguese title for the third section of Caeiro's work.

in Love *is a futile interlude, but the few poems that make it up are among the world's great love poems, for they are love poems by virtue of being about love and not by virtue of being poems. The poet loved because he loved, and not because love exists, and this was precisely what he said.*

The Keeper of Sheep *is the mental life of Caeiro up until the coach tops the hill. The* Uncollected Poems *are its descent. That's how I distinguish between them. I can imagine having been able to write certain of the* Uncollected Poems, *but not in my wildest dreams can I imagine having written any of the poems in* The Keeper of Sheep.

In the Uncollected Poems *there is weariness, and therefore unevenness. Caeiro is Caeiro, but a sick Caeiro. Not always sick, but sometimes sick. He's the same but a bit removed.*

(from Álvaro de Campos's *Notes for the Memory of my Master Caeiro*)

de O Guardador de Rebanhos

I

Eu nunca guardei rebanhos,
Mas é como se os guardasse.
Minha alma é como um pastor,
Conhece o vento e o sol
E anda pela mão das Estações
A seguir e a olhar.
Toda a paz da Natureza sem gente
Vem sentar-se a meu lado.
Mas eu fico triste como um pôr de sol
Para a nossa imaginação,
Quando esfria no fundo da planície
E se sente a noite entrada
Como uma borboleta pela janela.

Mas a minha tristeza é sossego
Porque é natural e justa
E é o que deve estar na alma
Quando já pensa que existe
E as mãos colhem flores sem ela dar por isso.

Como um ruído de chocalhos
Para além da curva da estrada,
Os meus pensamentos são contentes.
Só tenho pena de saber que eles são contentes,
Porque, se o não soubesse,
Em vez de serem contentes e tristes,
Seriam alegres e contentes.

from The Keeper of Sheep

I

I've never kept sheep,
But it's as if I did.
My soul is like a shepherd.
It knows the wind and sun,
And walks hand in hand with the Seasons
Looking at what passes.
All the peace of Nature without people
Sits down at my side.
But I get sad like a sunset
In our imagination
When the cold drifts over the plain
And we feel the night come in
Like a butterfly through the window.

Yet my sadness is a comfort
For it is natural and right
And is what should fill the soul
Whenever it thinks it exists
And doesn't notice the hands picking flowers.

Like a sound of sheep-bells
Beyond the bend in the road
My thoughts are content.
My only regret is that I know they're content,
Since if I did not know it
They would be content and happy
Instead of sadly content.

Pensar incomoda como andar à chuva
Quando o vento cresce e parece que chove mais.

Não tenho ambições nem desejos.
Ser poeta não é uma ambição minha.
É a minha maneira de estar sozinho.

E se desejo às vezes,
Por imaginar, ser cordeirinho
(Ou ser o rebanho todo
Para andar espalhado por toda a encosta
A ser muita cousa feliz ao mesmo tempo),
É só porque sinto o que escrevo ao pôr do sol,
Ou quando uma nuvem passa a mão por cima da luz
E corre um silêncio pela erva fora.

Quando me sento a escrever versos
Ou, passeando pelos caminhos ou pelos atalhos,
Escrevo versos num papel que está no meu pensamento,
Sinto um cajado nas mãos
E vejo um recorte de mim
No cimo dum outeiro,
Olhando para o meu rebanho e vendo as minhas ideias
Ou olhando para as minhas ideias e vendo o meu rebanho,
E sorrindo vagamente como quem não compreende o que se diz
E quer fingir que compreende.

Saúdo todos os que me lerem,
Tirando-lhes o chapéu largo
Quando me vêem à minha porta
Mal a diligência levanta no cimo do outeiro.
Saúdo-os e desejo-lhes sol,

Thinking is a discomfort, like walking in the rain
When the wind kicks up and it seems to rain harder.

I have no ambitions and no desires.
To be a poet is not my ambition,
It's my way of being alone.

And if sometimes, in my imagination,
I desire to be a small lamb
(Or to be the whole flock
So as to be scattered across the hillside
As many happy things at the same time),
It's only because I feel what I write when the sun sets
Or when a cloud passes its hand over the light
And a silence sweeps through the grass.

When I sit down to write verses
Or I walk along roads and pathways
Jotting verses on a piece of paper in my mind,
I feel a staff in my hand
And see my own profile
On top of a low hill
Looking after my flock and seeing my ideas,
Or looking after my ideas and seeing my flock,
And smiling vaguely, like one who doesn't grasp what was said
But pretends he did.

I salute all who may read me,
Tipping my wide-brimmed hat
As soon as the coach tops the hill
And they see me at my door.
I salute them and wish them sunshine,

E chuva, quando a chuva é precisa,
E que as suas casas tenham
Ao pé duma janela aberta
Uma cadeira predilecta
Onde se sentem, lendo os meus versos.
E ao lerem os meus versos pensem
Que sou qualquer cousa natural —
Por exemplo, a árvore antiga
À sombra da qual quando crianças
Se sentavam com um baque, cansados de brincar,
E limpavam o suor da testa quente
Com a manga do bibe riscado.

Or rain, if rain is needed,
And a favorite chair where they sit
At home, reading my poems
Next to an open window.
And as they read my poems, I hope
They think I'm something natural —
That old tree, for instance,
In whose shade when they were children
They sat down with a thud, tired of playing,
And wiped the sweat from their hot foreheads
With the sleeve of their striped smocks.

8-III-1914

VI

Pensar em Deus é desobedecer a Deus,
Porque Deus quis que o não conhecêssemos,
Por isso se nos não mostrou...

Sejamos simples e calmos,
Como os regatos e as árvores,
E Deus amar-nos-á fazendo de nós
Nós como as árvores são árvores
E como os regatos são regatos,
E dar-nos-á verdor na sua primavera,
E um rio aonde ir ter quando acabemos...
E não nos dará mais nada, porque dar-nos mais seria tirar-nos-nos.

VI

To think about God is to disobey God,
Since God wanted us not to know him,
Which is why he didn't reveal himself to us…

Let's be simple and calm,
Like the trees and streams,
And God will love us, making us
Us even as the trees are trees
And the streams are streams,
And will give us greenness in the spring, which is its season,
And a river to go to when we end…
And he'll give us nothing more, since to give us more would make us
　　　less us.

IX

Sou um guardador de rebanhos.
O rebanho é os meus pensamentos
E os meus pensamentos são todos sensações.
Penso com os olhos e com os ouvidos
E com as mãos e os pés
E com o nariz e a boca.

Pensar uma flor é vê-la e cheirá-la
E comer um fruto é saber-lhe o sentido.

Por isso quando num dia de calor
Me sinto triste de gozá-lo tanto,
E me deito ao comprido na erva,
E fecho os olhos quentes,
Sinto todo o meu corpo deitado na realidade,
Sei a verdade e sou feliz.

IX

I'm a keeper of sheep.
The sheep are my thoughts
And each thought a sensation.
I think with my eyes and my ears
And with my hands and feet
And with my nose and mouth.

To think a flower is to see and smell it,
And to eat a fruit is to know its meaning.

That is why on a hot day
When I enjoy it so much I feel sad,
And I lie down in the grass
And close my warm eyes,
Then I feel my whole body lying down in reality,
I know the truth, and I'm happy.

XX

O Tejo é mais belo que o rio que corre pela minha aldeia,
Mas o Tejo não é mais belo que o rio que corre pela minha aldeia
Porque o Tejo não é o rio que corre pela minha aldeia.

O Tejo tem grandes navios
E navega nele ainda,
Para aqueles que vêem em tudo o que lá não está,
A memória das naus.

O Tejo desce de Espanha
E o Tejo entra no mar em Portugal.
Toda a gente sabe isso.
Mas poucos sabem qual é o rio da minha aldeia
E para onde ele vai
E donde ele vem.
E por isso, porque pertence a menos gente,
É mais livre e maior o rio da minha aldeia.

Pelo Tejo vai-se para o mundo.
Para além do Tejo há a América
E a fortuna daqueles que a encontram.
Ninguém nunca pensou no que há para além
Do rio da minha aldeia.

O rio da minha aldeia não faz pensar em nada.
Quem está ao pé dele está só ao pé dele.

XX

The Tagus is more beautiful than the river that flows through my village,
But the Tagus is not more beautiful than the river that flows through
    my village
Because the Tagus is not the river that flows through my village.

The Tagus has enormous ships,
And for those who see in everything that which isn't there
Its waters are still sailed
By the memory of the carracks.

The Tagus descends from Spain
And crosses Portugal to pour into the sea.
Everyone knows this.
But few know what the river of my village is called
And where it goes to
And where it comes from.
And so, because it belongs to fewer people,
The river of my village is freer and larger.

The Tagus leads to the world.
Beyond the Tagus there is America
And the fortune of those who find it.
No one ever thought about what's beyond
The river of my village.

The river of my village doesn't make one think of anything.
Whoever is next to it is simply next to it.

7-III-1914

XXII

Como quem num dia de verão abre a porta de casa
E espreita para o calor dos campos com a cara toda,
Às vezes, de repente, bate-me a Natureza de chapa
Na cara dos meus sentidos,
E eu fico confuso, perturbado, querendo perceber
Não sei bem como nem o quê…

Mas quem me mandou a mim querer perceber?
Quem me disse que havia que perceber?

Quando o verão me passa pela cara
A mão leve e quente da sua brisa,
Só tenho que sentir agrado porque é brisa
Ou que sentir desagrado porque é quente,
E de qualquer maneira que eu o sinta,
Assim, porque assim o sinto, é que isso é senti-lo…

XXII

As when a man opens his front door on a summer day
And gazes with full face upon the heat of the fields,
Sometimes Nature suddenly hits me smack
In the face of my five senses,
And I get confused, mixed up, trying to understand
I don't know quite what, or how…

But who told me to try to understand?
Who said there's something to be understood?

When summer passes the soft warm hand
Of its breeze across my face,
I need only feel the pleasure of it being a breeze
Or feel displeasure because it's warm,
And however I may feel it,
Because that's how I feel it, is what it means to feel it.

XXIV

O que nós vemos das cousas são as cousas.
Por que veríamos nós uma cousa se houvesse outra?
Por que é que ver e ouvir seriam iludirmo-nos
Se ver e ouvir são ver e ouvir?

O essencial é saber ver,
Saber ver sem estar a pensar,
Saber ver quando se vê,
E nem pensar quando se vê
Nem ver quando se pensa.

Mas isso (tristes de nós que trazemos a alma vestida!),
Isso exige um estudo profundo,
Uma aprendizagem de desaprender
E uma sequestração na liberdade daquele convento
De que os poetas dizem que as estrelas são as freiras eternas
E as flores as penitentes convictas de um só dia,
Mas onde afinal as estrelas não são senão estrelas
Nem as flores senão flores,
Sendo por isso que lhes chamamos estrelas e flores.

XXIV

What we see of things are the things.
Why would we see one thing when another thing is there?
Why would seeing and hearing be to delude ourselves
When seeing and hearing are seeing and hearing?

What matters is to know how to see,
To know how to see without thinking,
To know how to see when seeing
And not think when seeing
Nor see when thinking.

But this (if only we didn't have a dressed-up heart!) —
This requires deep study,
Lessons in unlearning,
And a retreat into the freedom of that convent
Where the stars — say poets — are the eternal nuns
And the flowers the contrite believers of just one day,
But where after all the stars are just stars
And the flowers just flowers,
Which is why we call them stars and flowers.

13-III-1914

XXX

Se quiserem que eu tenha um misticismo, está bem, tenho-o.
Sou místico, mas só com o corpo.
A minha alma é simples e não pensa.

O meu misticismo é não querer saber.
É viver e não pensar nisso.

Não sei o que é a Natureza: canto-a.
Vivo no cimo dum outeiro
Numa casa caiada e sozinha,
E essa é a minha definição.

XXX

If you want me to have a mysticism, then fine, I have one.
I'm a mystic, but only with my body.
My soul is simple and doesn't think.

My mysticism is not wanting to know.
It's living and not thinking about it.

I don't know what Nature is: I sing it.
I live on top of a hill
In a solitary, whitewashed house,
And that is my definition.

XXXIX

O mistério das cousas, onde está ele?
Onde está ele que não aparece
Pelo menos a mostrar-nos que é mistério?
Que sabe o rio disso e que sabe a árvore?
E eu, que não sou mais do que eles, que sei disso?

Sempre que olho para as cousas e penso no que os homens pensam delas,
Rio como um regato que soa fresco numa pedra.

Porque o único sentido oculto das cousas
É elas não terem sentido oculto nenhum.
É mais estranho do que todas as estranhezas
E do que os sonhos de todos os poetas
E os pensamentos de todos os filósofos,
Que as cousas sejam realmente o que parecem ser
E não haja nada que compreender.

Sim, eis o que os meus sentidos aprenderam sozinhos —
As cousas não têm significação: têm existência.
As cousas são o único sentido oculto das cousas.

XXXIX

The mystery of things — where is it?
Why doesn't it come out
To show us at least that it's mystery?
What do the river and the tree know about it?
And what do I, who am no more than they, know about it?

Whenever I look at things and think about what people think of them,
I laugh like a brook cleanly plashing against a rock.

For the only hidden meaning of things
Is that they have no hidden meaning.
It's the strangest thing of all,
Stranger than all poets' dreams
And all philosophers' thoughts,
That things are really what they seem to be
And there's nothing to understand.

Yes, this is what my senses learned on their own:
Things have no meaning: they have existence.
Things are the only hidden meaning of things.

Num dia excessivamente nítido,
Dia em que dava a vontade de ter trabalhado muito
Para nele não trabalhar nada,
Entrevi, como uma estrada por entre as árvores,
O que talvez seja o Grande Segredo,
Aquele Grande Mistério de que os poetas falsos falam.

Vi que não há Natureza,
Que Natureza não existe,
Que há montes, vales, planícies,
Que há árvores, flores, ervas,
Que há rios e pedras,
Mas que não há um todo a que isso pertença,
Que um conjunto real e verdadeiro
É uma doença das nossas ideias.

A Natureza é partes sem um todo.
Isto é talvez o tal mistério de que falam.

Foi isto o que sem pensar nem parar,
Acertei que devia ser a verdade
Que todos andam a achar e que não acham,
E que só eu, porque a não fui achar, achei.

XLVII

On an incredibly clear day,
The kind when you wish you'd done lots of work
So that you wouldn't have to work that day,
I saw — as if spotting a road through the trees —
What may well be the Great Secret,
That Great Mystery the false poets speak of.

I saw that there is no Nature,
That Nature doesn't exist,
That there are hills, valleys and plains,
That there are trees, flowers and grass,
That there are rivers and stones,
But that there is no whole to which all this belongs,
That a true and real ensemble
Is a disease of our own ideas.

Nature is parts without a whole.
This is perhaps the mystery they speak of.

This is what, without thinking or pausing,
I realized must be the truth
That everyone tries to find but doesn't find
And that I alone found, because I didn't try to find it.

XLVIII

Da mais alta janela da minha casa
Com um lenço branco digo adeus
Aos meus versos que partem para a humanidade.

E não estou alegre nem triste.
Esse é o destino dos versos.
Escrevi-os e devo mostrá-los a todos
Porque não posso fazer o contrário
Como a flor não pode esconder a cor,
Nem o rio esconder que corre,
Nem a árvore esconder que dá fruto.

Ei-los que vão já longe como que na diligência
E eu sem querer sinto pena
Como uma dor no corpo.

Quem sabe quem os lerá?
Quem sabe a que mãos irão?

Flor, colheu-me o meu destino para os olhos.
Árvore, arrancaram-me os frutos para as bocas.
Rio, o destino da minha água era não ficar em mim.
Submeto-me e sinto-me quase alegre,
Quase alegre como quem se cansa de estar triste.

Ide, ide de mim!
Passa a árvore e fica dispersa pela Natureza.

XLVIII

From the highest window of my house
I wave farewell with a white handkerchief
To my poems going out to humanity.

And I'm neither happy nor sad.
That is the fate of poems.
I wrote them and must show them to everyone
Because I cannot do otherwise,
Even as the flower can't hide its color,
Nor the river hide its flowing,
Nor the tree hide the fruit it bears.

There they go, already far away, as if in the stagecoach,
And I can't help but feel regret
Like a pain in my body.

Who knows who might read them?
Who knows into what hands they'll fall?

A flower, I was plucked by my fate to be seen.
A tree, my fruit was picked to be eaten.
A river, my water's fate was to flow out of me.
I submit and feel almost happy,
Almost happy like a man tired of being sad.

Go, go away from me!
The tree passes and is scattered throughout Nature.

Murcha a flor e o seu pó dura sempre.
Corre o rio e entra no mar e a sua água é sempre a que foi sua.

Passo e fico, como o Universo.

The flower wilts and its dust lasts forever.
The river flows into the sea and its water is forever the water that was
its own.

I pass and I remain, like the Universe.

de O Pastor Amoroso

Quando eu não te tinha
Amava a Natureza como um monge calmo a Cristo...
Agora amo a Natureza
Como um monge calmo à Virgem Maria,
Religiosamente, a meu modo, como dantes,
Mas de outra maneira mais comovida e próxima.
Vejo melhor os rios quando vou contigo
Pelos campos até à beira dos rios;
Sentado a teu lado reparando nas nuvens
Reparo nelas melhor...
Tu não me tiraste a Natureza...
Tu não me mudaste a Natureza...
Trouxeste-me a Natureza para ao pé de mim.
Por tu existires vejo-a melhor, mas a mesma,
Por tu me amares, amo-a do mesmo modo, mas mais,
Por tu me escolheres para te ter e te amar,
Os meus olhos fitaram-na mais demoradamente
Sobre todas as cousas.

Não me arrependo do que fui outrora
Porque ainda o sou.
Só me arrependo de outrora te não ter amado.

from The Shepherd in Love

Before I had you
I loved Nature as a calm monk loves Christ.
Now I love Nature
As a calm monk loves the Virgin Mary,
Religiously (in my manner), like before,
But in a more heartfelt and intimate way.
I see the rivers better when I walk with you
Through the fields to the rivers' banks.
When I sit next to you and watch the clouds
I take better notice of them.
You haven't taken Nature from me,
You haven't changed Nature.
You've brought Nature closer.
Because you exist I see it better, though the same as before.
Because you love me I love it in the same way, but more.
Because you chose me to have you and love you
My eyes attentively gaze at it
Above all things.

I don't regret what I was before.
For I am still what I was.
I only regret not having loved you before.

6-VI-1914

O amor é uma companhia.
Já não sei andar só pelos caminhos,
Porque já não posso andar só.
Um pensamento visível faz-me andar mais depressa
E ver menos, e ao mesmo tempo gostar bem de ir vendo tudo.
Mesmo a ausência dela é uma coisa que está comigo.
E eu gosto tanto dela que não sei como a desejar.
Se a não vejo, imagino-a e sou forte como as árvores altas.
Mas se a vejo tremo, não sei o que é feito do que sinto na ausência dela.
Todo eu sou qualquer força que me abandona.
Toda a realidade olha para mim como um girassol com a cara dela no
    meio.

Love is a company.
I no longer know how to walk the roads alone,
For I'm no longer able to walk alone.
A visible thought makes me walk faster
And see less, and at the same time enjoy all I see.
Even her absence is something that's with me.
And I like her so much I don't know how to desire her.
If I don't see her, I imagine her and am strong like the tall trees.
But if I see her I tremble, I don't know what's happened to what I feel
        in her absence.
The whole of me is like a force that abandons me.
All of reality looks at me like a sunflower with her face in the middle.

10-VII-1930

Passar a limpo a Matéria
Repor no seu lugar as cousas que os homens desarrumaram
Por não perceberem para que serviam
Endireitar, como uma boa dona de casa da Realidade,
As cortinas nas janelas da Sensação
E os capachos às portas da Percepção
Varrer os quartos da observação
E limpar o pó das ideias simples…
Eis a minha vida, verso a verso.

To clean and tidy up Matter...
To put back all the things people cluttered up
Because they didn't understand what they were for...
To straighten, like a diligent housekeeper of Reality,
The curtains on the windows of Feeling
And the mats before the doors of Perception...
To sweep the rooms of observation
And to dust off simple ideas...
That's my life, verse by verse.

17-IX-1914

Quando tornar a vir a primavera
Talvez já não me encontre no mundo.
Gostava agora de poder julgar que a primavera é gente
Para poder supor que ela choraria,
Vendo que perdera o seu único amigo.
Mas a primavera nem sequer é uma coisa:
É uma maneira de dizer.
Nem mesmo as flores tornam, ou as folhas verdes.
Há novas flores, novas folhas verdes.
Há outros dias suaves.
Nada torna, nada se repete, porque tudo é real.

When Spring returns
Perhaps I will no longer be in the world.
Today I wish I could think of Spring as a person
So that I could imagine her crying for me
When she sees that she's lost her only friend.
But Spring isn't even a thing:
It's a manner of speaking.
Not even the flowers or green leaves return.
There are new flowers, new green leaves.
There are new balmy days.
Nothing returns, nothing repeats, because everything is real.

7-XI-1915

A manhã raia. Não: a manhã não raia.
A manhã é uma cousa abstracta, está, não é uma cousa.
Começamos a ver o sol, a esta hora, aqui.
Se o sol matutino dando nas árvores é belo,
É tão belo se chamarmos à manhã «começarmos a ver o sol»
Como o é se lhe chamarmos a manhã;
Por isso não há vantagem em pôr nomes errados às cousas,
Nem mesmo em lhes pôr nomes alguns.

Morning breaks. No: morning doesn't break.
Morning is an abstract state, not a thing.
We begin to see the sun, at this hour, here.
If the sun shining on the trees at this hour is beautiful,
It's just as beautiful if we call morning "the beginning of seeing the sun"
As it is if we call it morning.
And so there's no advantage in giving false names to things,
Nor in giving them any names at all.

21-V-1917

Tu, místico, vês uma significação em todas as cousas.
Para ti tudo tem um sentido velado.
Há uma cousa oculta em cada cousa que vês.
O que vês, vê-lo sempre para veres outra cousa.

Para mim, graças a ter olhos só para ver,
Eu vejo ausência de significação em todas as cousas;
Vejo-o e amo-me, porque ser uma cousa é não significar nada.
Ser uma cousa é não ser susceptível de interpretação.

You who are a mystic see a meaning in all things.
For you everything has a veiled significance.
There is something hidden in each thing you see.
What you see you always see to see something else.

I, who have eyes that are only for seeing,
See an absence of meaning in all things.
And seeing this, I love myself, since to be a thing is to mean nothing.
To be a thing is to be subject to no interpretation.

12-IV-1919

Ah, querem uma luz melhor que a do sol!
Querem campos mais verdes que estes!
Querem flores mais belas que estas que vejo!
A mim este sol, estes campos, estas flores contentam-me.
Mas, se acaso me descontentam,
O que quero é um sol mais sol que o sol,
O que quero é campos mais campos que estes campos,
O que quero é flores mais estas flores que estas flores —
Tudo mais ideal do que é do mesmo modo e da mesma maneira!
Aquela cousa que está ali estar mais ali do que ali está!
Sim, choro às vezes o corpo perfeito que não existe.
Mas o corpo perfeito é o corpo mais corpo que pode haver,
E o resto são os sonhos dos homens,
A miopia de quem vê pouco,
E o desejo de estar sentado de quem não sabe estar de pé.
Todo o cristianismo é um sonho de cadeiras.

E como a alma é aquilo que não aparece,
A alma mais perfeita é aquela que não aparece nunca —
A alma que está feita com o corpo
O absoluto corpo das cousas,
A existência absolutamente real sem sombras nem erros,
A coincidência exacta e inteira de uma cousa consigo mesma.

Ah! They want a light that's better than the sun's!
They want meadows that are greener than these!
They want flowers more beautiful than these which I see!
For me this sun, these meadows and these flowers are enough.
But if they weren't enough,
What I would want is a sun more sun than the sun,
Meadows more meadows than these meadows,
Flowers more these flowers than these flowers —
Everything more ideal than it is, in the same way and same manner!
That thing over there more there than it is!
Yes, sometimes I weep for the perfect body that doesn't exist.
But the perfect body is the body that's the most body of all,
And the rest is the dreams of men,
The myopia of those who see little,
And the desire to sit felt by those who don't know how to stand.
All of Christianity is a dream of chairs.

And since the soul is what doesn't appear,
The perfect soul is the one that never appears:
The soul that's one with the body,
The absolute body of things,
Existing — absolutely real — without shadows and without me,
The complete and absolute coincidence of a thing with itself.

12-IV-1919

Gozo os campos sem reparar para eles.
Perguntas-me por que os gozo.
Porque os gozo, respondo.
Gozar uma flor é estar ao pé dela inconscientemente
E ter uma noção do seu perfume nas nossas ideias mais apagadas.
Quando reparo, não gozo: vejo.
Fecho os olhos, e o meu corpo, que está entre a erva,
Pertence inteiramente ao exterior de quem fecha os olhos —
À dureza fresca da terra cheirosa e irregular;
E alguma coisa dos ruídos indistintos das coisas a existir,
E só uma sombra encarnada de luz me carrega levemente nas órbitas,
E só um resto de vida fica.

I enjoy the fields without paying them any notice.
You ask me why I enjoy them.
Because I enjoy them, I answer.
To enjoy a flower is to be next to it unconsciously
And to have a notion of its fragrance in our faintest thoughts.
When I notice, I don't enjoy: I see.
I close my eyes, and then my body, surrounded by the grass,
Belongs completely to the world outside the one whose eyes are closed,
To the cool hardness of the pungent and bumpy earth,
And there's something of the hazy noise of things existing,
And a hint of red light pressing gently against my eyes,
And only a vestige of life remaining.

20-IV-1919

Gosto do céu porque não creio que ele seja infinito.
Que pode ter comigo o que não começa nem acaba?
Não creio no infinito, não creio na eternidade.
Creio que o espaço começa algures e algures acaba
E que aquém e além disso há absolutamente nada.
Creio que o tempo teve um princípio e terá um fim,
E que antes e depois disso não havia tempo.
Por que há-de ser isto falso? Falso é falar de infinitos
Como se soubéssemos o que são ou os pudéssemos entender.
Não: tudo é uma quantidade de cousas.
Tudo é definido, tudo é limitado, tudo é cousas.

I like the sky because I don't believe it's infinite.
What can something without beginning or end have to do with me?
I don't believe in infinity, and I don't believe in eternity.
I believe that space begins in one place and ends in another
And that beyond this, and in front of this, there's absolutely nothing.
I believe that time had a beginning and will have an end
And that before and after this there is no time.
Why should this be false? What's false is to talk about infinities
As if we knew what they were or could understand them.
No: all there is is a lot of things.
All there is is definite, is limited, is things.

[1920]

Também sei fazer conjecturas.
Há em cada coisa aquilo que ela é que a anima.
Na planta está por fora e é uma ninfa pequena.
No animal é um ser interior longínquo.
No homem é a alma que vive com ele e é já ele.
Nos deuses tem o mesmo tamanho
E o mesmo espaço que o corpo
E é a mesma coisa que o corpo.
Por isso se diz que os deuses nunca morrem.
Por isso os deuses não têm corpo e alma
Mas só corpo e são perfeitos.
O corpo é que lhes é alma
E têm a consciência na própria carne divina.

I can also make conjectures.
There is in each thing an animating essence.
In plants it's a tiny nymph that exists on the outside.
In animals it's a remote inner being.
In man it's the soul that lives with him and is him.
In the gods it has the same size
And fills the same space as the body
And is the same thing as the body.
For this reason it is said that the gods never die.
For this reason the gods do not have body and soul
But just body, and they are perfect.
The body is their soul,
And they have consciousness in their divine flesh.

7-V-1922

Não basta abrir a janela
Para ver os campos e o rio.
Não é bastante não ser cego
Para ver as árvores e as flores.
É preciso também não ter filosofia nenhuma.
Com filosofia não há árvores: há ideias apenas.
Há só cada um de nós, como uma cave.
Há só uma janela fechada, e todo o mundo lá fora;
E um sonho do que se poderia ver se a janela se abrisse,
Que nunca é o que se vê quando se abre a janela.

To see the fields and the river
It isn't enough to open the window.
To see the trees and the flowers
It isn't enough not to be blind.
It is also necessary to have no philosophy.
With philosophy there are no trees, just ideas.
There is only each one of us, like a cave.
There is only a shut window, and the whole world outside,
And a dream of what could be seen if the window were opened,
Which is never what is seen when the window is opened.

April of 1923

Ricardo Reis

I was born believing in the gods, I was raised in that belief, and in that belief I will die, loving them. I know what the pagan feeling is. My only regret is that I cannot really explain how utterly and inscrutably different it is from all other feelings. Even our calm and the vague stoicism some of us have bear no resemblance to the calm of antiquity and the stoicism of the Greeks.

(from Ricardo Reis's unfinished preface to his *Odes*)

The philosophy of the work of Ricardo Reis amounts to a sad Epicureanism, which we will try to characterize.

Each of us (contends the Poet) should live his own life, isolating himself from others and seeking, in an attitude of sober individualism, only what pleases and delights him. He should not seek violent pleasures nor flee from moderately painful sensations.

Avoiding unnecessary suffering or grief, man should seek peace and tranquillity above all else, abstaining from effort and useful activity.

The poet adheres to this as a temporary doctrine, as the right attitude for pagans as long as the barbarians (the Christians) reign supreme. If and when the barbarian empire crumbles, then this attitude may change, but for now it is the only one possible.

We should try to give ourselves the illusion of freedom, happiness and peace, all of which are unattainable, since freedom is a privilege denied even the gods (who are subject to Fate), since happiness cannot be felt by someone exiled from his own faith and from his soul's natural habitat, and since we cannot pretend to be peaceful when we live in the midst of today's commotion and know all too well that we will die. The work of

Ricardo Reis, profoundly sad, is a lucid and disciplined effort to obtain a measure of calm.

(from a note signed by Frederico Reis)

After meeting Caeiro and hearing him recite The Keeper of Sheep, *Ricardo Reis began to realize that he was organically a poet. Some physiologists say that it's possible to change sex. I don't know if it's true, because I don't know if anything is "true," but I know that Ricardo Reis stopped being a woman and became a man, or stopped being a man and became a woman — as you like — when he met Caeiro.*

(from Campos's *Notes to the Memory of my Master Caeiro*)

[H]e has been called, admirably I believe, "a Greek Horace who writes in Portuguese."

(from a letter Pessoa wrote in 31-X-1924)

de Odes

Não consentem os deuses mais que a vida.
Tudo pois refusemos, que nos alce
        A irrespiráveis píncaros,
        Perenes sem ter flores.
Só de aceitar tenhamos a ciência,
E, enquanto bate o sangue em nossas fontes,
        Nem se engelha connosco
        O mesmo amor, duremos,
Como vidros, às luzes transparentes
E deixando escorrer a chuva triste,
        Só mornos ao sol quente,
        E reflectindo um pouco.

from Odes

The gods grant nothing more than life,
So let us reject whatever lifts us
    To unbreathable heights,
    Eternal but flowerless.
All that we need to accept is science,
And as long as blood still throbs in our temples
    And love does not shrivel,
    Let us endure
Like panes of glass: transparent to light,
Pattered by the sad rain trickling down,
    Warmed only by the sun,
    And reflecting a little.

17-VII-1914

Cada cousa a seu tempo tem seu tempo.
Não florescem no inverno os arvoredos,
    Nem pela primavera
    Têm branco frio os campos.
À noite, que entra, não pertence, Lídia,
O mesmo ardor que o dia nos pedia.
    Com mais sossego amemos
    A nossa incerta vida.
À lareira, cansados não da obra
Mas porque a hora é a hora dos cansaços,
    Não puxemos a voz
    Acima de um segredo,
E casuais, interrompidas sejam
Nossas palavras de reminiscência
    (Não para mais nos serve
    A negra ida do sol).
Pouco a pouco o passado recordemos
E as histórias contadas no passado
    Agora duas vezes
    Histórias, que nos falem
Das flores que na nossa infância ida
Com outro fim do gozo nós colhíamos
    E com outra consciência
    No olhar lançado ao mundo.
E assim, Lídia, à lareira, como estando,
Deuses lares, ali na eternidade,
    Como quem compõe roupas
    O outrora componhamos

Each thing, in its time, has its time.
The trees do not blossom in winter,
        Nor does the white cold
        Cover the fields in spring.
The heat that the day required of us
Belongs not to the night that's falling, Lydia.
        Let's love with greater calm
        Our uncertain life.
Sitting by the fire, weary not from our work
But because it's the hour for weariness,
        Let's not force our voice
        To be more than a secret.
And may our words of reminiscence
(Which is all the sun's black departure brings us)
        Be spoken at intervals,
        Haphazardly.
Let's remember the past by degrees,
And may the stories told back then,
        Now twice-told stories,
        Speak to us
Of the flowers that in our distant childhood
We picked with another kind of pleasure
        And another consciousness
        As we gazed at the world.
And so, Lydia, sitting there by the fire
As if there forever, like household gods,
        Let's mend the past
        As if mending clothes

Nesse desassossego que o descanso
Nos traz às vidas quando só pensamos
Naquilo que já fomos,
E há só noite lá fora.

In the disquiet that repose must bring to our lives
When all we do is think of what
    We were, and outside
    There's just night.

30-VII-1914

Vós que, crentes em Cristos e Marias,
Turvais da minha fonte as claras águas
       Só para me dizerdes
       Que há águas mais alegres
Banhando prados com melhores horas —
Dessas outras regiões p'ra que falar-me
       Se estas águas e prados
       São de aqui e me agradam?
Esta realidade os deuses deram
E para bem real a deram externa.
       Que serão os meus sonhos
       Mais que a obra dos deuses?
Deixai-me a Realidade do momento
E os meus deuses tranquilos e imediatos
       Que não moram no Incerto
       Mas nos campos e rios.
Deixai-me a vida ir-se pagãmente
Acompanhada p'las avenas ténues
       Com que os juncos das margens
       Se confessam de Pã.
Vivei nos vossos sonhos e deixai-me
O altar natural onde é meu culto
       E a visível presença
       Dos meus próximos deuses.
Inúteis procos do melhor que a vida,
Deixai a vida aos crentes mais antigos
       Que Cristo e a sua cruz
       E Maria chorando.

Ah, you believers in Christs and Marys,
Who muddle my fountain's clear waters
      Merely to tell me
      There are happier waters
Flowing in meadows with better hours —
Why speak to me of those other places
      If the waters and meadows
      In this place please me?
This reality was given by the gods,
Who made it external to make it more real.
      Can my dreams be greater
      Than the work of the gods?
Leave me with the Reality of this moment
And my tranquil, immediate gods who dwell
      In fields and rivers,
      Not in Uncertainty.
Let my life pass paganly by
To the soft piping by which the rushes
      On the banks of rivers
      Confess they're of Pan.
Live in your dreams and leave to me
The natural altar where I worship
      And the visible presence
      Of my nearby gods.
Ah, useless suitors of the better-than-life,
Leave life to those believers more ancient
      Than Christ and his cross
      And weeping Mary.

Ceres, dona dos campos, me console
E Apolo e Vénus, e Urano antigo
E os trovões, com o interesse
De irem da mão de Jove.

Let Ceres, queen of the fields, console me,
And Apollo and Venus, and ancient Uranus,
And thunder, for it comes
From Jupiter's hand.

9-VIII-1914

Tirem-me os deuses
Em seu arbítrio
Superior e urdido às escondidas
Amor, glória e riqueza.

Tirem, mas deixem-me
Deixem-me apenas
A consciência lúcida e solene
Das cousas e dos seres.

Pouco me importa
Amor ou glória.
A riqueza é um metal, a glória é um eco
E o amor uma sombra.

Mas a concisa
Atenção dada
Às formas e às maneiras dos objectos
Tem abrigo seguro.

Seus fundamentos
São todo o mundo,
Seu amor é o plácido universo,
Sua riqueza a vida.

A sua glória
É a suprema

Let the gods
Take from me
By their high and secretly wrought will
All glory, love and wealth.

All I ask
Is that they leave
My lucid and solemn consciousness
Of beings and of things.

Love and glory
Don't matter to me.
Wealth is a metal, glory an echo,
And love a shadow.

But accurate
Attention given
To the forms and properties of objects
Is a sure refuge.

Its foundations
Are all the world,
Its love is the placid universe,
Its wealth is life.

Its glory is
The supreme certainty

Certeza da solene e clara posse
Das formas dos objectos.

O resto passa,
E teme a morte.
Só nada teme ou sofre a visão clara
E inútil do Universo.

Essa a si basta,
Nada deseja
Salvo o orgulho de ver sempre claro
Até deixar de ver.

Of solemnly and clearly possessing
    The forms of objects.

    Other things pass
    And fear death,
But the clear and useless vision of the Universe
    Fears and suffers nothing.

    Self sufficing,
    It desires nothing
But the pride of always seeing clearly
    Until it no longer sees.

6-VI-1915

Segue o teu destino,
Rega as tuas plantas,
Ama as tuas rosas.
O resto é a sombra
De árvores alheias.

A realidade
Sempre é mais ou menos
Do que nós queremos.
Só nós somos sempre
Iguais a nós próprios.

Suave é viver só.
Grande e nobre é sempre
Viver simplesmente.
Deixa a dor nas aras
Como ex-voto aos deuses.

Vê de longe a vida.
Nunca a interrogues.
Ela nada pode
Dizer-te. A resposta
Está além dos Deuses.

Mas serenamente
Imita o Olimpo
No teu coração.
Os deuses são deuses
Porque não se pensam.

Follow your destiny,
Water your plants,
Love your roses.
The rest is shadows
Of unknown trees.

Reality is always
More or less
Than what we want.
Only we are always
Equal to ourselves.

It's good to live alone,
And noble and great
Always to live simply.
Leave pain on the altar
As an offering to the gods.

See life from a distance.
Never question it.
There's nothing it can
Tell you. The answer
Lies beyond the Gods.

But quietly imitate
Olympus in your heart.
The gods are gods
Because they don't think
About what they are.

1-VII-1916

Sofro, Lídia, do medo do destino.
Qualquer pequena cousa de onde pode
Brotar uma ordem nova em minha vida,
      Lídia, me aterra.
Qualquer cousa, qual seja, que transforme
Meu plano curso de existência, embora
Para melhores cousas o transforme,
      Por transformar
Odeio, e não o quero. Os deuses dessem
Que ininterrupta minha vida fosse
Uma planície sem relevos, indo
      Até ao fim.
A glória embora eu nunca haurisse, ou nunca
Amor ou justa 'stima dessem-me outros,
Basta que a vida seja só a vida
      E que eu a viva.

I suffer, Lydia, from the fear of destiny.
Any tiny thing that might
Give rise to a new order in my life
       Frightens me, Lydia.
Anything whatsoever that changes
The smooth course of my existence,
Though it change it for something better,
       Because it means change,
I hate and don't want. May the gods
Allow my life to be a continuous,
Perfectly flat plain, running
       To where it ends.
Though I never taste glory and never
Receive love or due respect from others,
It will suffice that life be only life
       And that I live it.

26-V-1917

Manhã que raias sem olhar a mim,
Sol que luzes sem qu'rer saber de eu ver-te,
      É por mim que sois
      Reais e verdadeiros.
Porque é na oposição ao que eu desejo
Que sinto real a natureza e a vida.
      No que me nega sinto
      Que existe e eu sou pequeno.
E nesta consciência torno-a grande
Como a onda, que as tormentas atiraram
      Ao alto ar, regressa
      Pesada a um mar mais fundo.

O morning that breaks without looking at me,
O sun that shines without caring that I see you,
          It's for me that you
          Are real and true,
For it's in the foil to my desire
That I feel nature and life to be real.
          In what they deny me I feel
          They exist and I am small.
And in this knowledge I make them great,
Even as the wave which, tossed by storms
          High into the air, returns
          With more weight to a deeper sea.

23-XI-1918

Uma após uma as ondas apressadas
Enrolam o seu verde movimento
  E chiam a alva 'spuma
  No moreno das praias.
Uma após uma as nuvens vagarosas
Rasgam o seu redondo movimento
  E o sol aquece o 'spaço
  Do ar entre as nuvens 'scassas.
Indiferente a mim e eu a ela,
A natureza deste dia calmo
  Furta pouco ao meu senso
  De se esvair o tempo.
Só uma vaga pena inconsequente
Pára um momento à porta da minha alma
  E após fitar-me um pouco
  Passa, a sorrir de nada.

Wave after rushing wave
Swirls high its green motion
     And makes the white foam crash
     Against the tawny strand.
Cloud after slow-moving cloud
Rips open its rounded motion
     While sunlight warms the space
     Between those tattered clouds.
Indifferent to me and I to it,
The nature of this calm day
     Scarcely lessens my sense
     That time is draining away.
Only a vague, forgettable sorrow
Stops a moment at the door of my soul
     To stare at me briefly before
     It passes, smiling at nothing.

23-XI-1918

No momento em que vamos pelos prados
E o nosso amor é um terceiro ali,
     Que usurpa que saibamos
     Um ao certo do outro,
Nesse momento, em que o que vemos mesmo
Sem o vermos na própria essência entra
     Da nossa alma comum —
     Lídia, nesse momento
De tão sentir o amor não sei dizer-to,
Antes, se falo, só dos prados falo
     E em dueto comigo
     Discurso o amor.

At those times when, walking in the fields,
Our love goes with us, a third presence
      Usurping whatever we know
      For certain about each other,
At those times, when all we see
Even without seeing it enters our common
      Soul to its very core —
      Lydia, at those times
So strong is my feeling of love I can't tell it,
And I talk instead, if I talk, of the fields
      While in a duet with myself
      I freely discourse on love.

7-VII-1919

Cumpre a lei, seja vil ou vil tu sejas.
Pouco pode o homem contra a externa vida.
        Deixa haver a injustiça.
        Nada mudas que mudas.
Não tens mais reino do que a doada mente.
Essa, em que és servo, grato o Fado e os Deuses,
        Governa, até à fronteira,
        Onde a vontade finge.
Aí vencido, tu por vencedores
Os grandes deuses e o Destino ostentas.
        Não há a dupla derrota
        De derrota e vileza.
Assim penso, e esta súbita justiça
Com que queremos moderar nas coisas,
        Expilo, como um servo
        Intrometido da mente.
Se nem de mim posso ser dono, como
Quero ser dono ou lei do que acontece
        Onde me a mente e corpo
        Não são mais do que parte?
Basta-me que me baste, e o resto gire
Na órbita prevista, em que até os deuses
        Giram, sóis centros servos
        De um movimento imenso.

Obey the law, whether it's wrong or you are.
Man can do little against the outer life.
        Let injustice be.
        Nothing you change changes.
Your only kingdom is the mind you've been given,
And in it you're a servant to Fate and the Gods;
        Govern it to the borders
        Of where your will pretends.
Though conquered there, at least you can glory
In your conquerors: Destiny and the great gods.
        You're not twice defeated
        By defeat and disgrace.
So I see it. And that hasty justice
By which we try to prevail on things
        I expel, like a meddling
        Servant from the mind.
How can I, not even my own ruler,
Expect to rule or determine what happens
        Where my mind and body
        Are merely a part?
Let sufficiency suffice me and the rest spin
In that predestined orbit where even the gods
        Spin: suns, centers,
        Servants of a vast flux.

29-I-1921

Vossa formosa juventude leda,
Vossa felicidade pensativa,
Vosso modo de olhar a quem vos olha,
        Vosso não conhecer-vos —
Tudo quanto vós sois, que vos semelha
À vida universal que vos esquece,
Dá carinho de amor a quem vos ama
        Por serdes não lembrando
Quanta igual mocidade a eterna praia
De Cronos, pai injusto da justiça,
Ondas, quebrou, deixando à só memória
        Um branco som de 'spuma.

Your blithe and lovely youthfulness,
Your happiness absorbed in thought,
Your gaze when others gaze at you,
      Your knowing not yourself —
The sum of all you are, so like
This life at large that disregards you,
Endears who loves you just for being
      Without remembering how much
Youth like yours the ageless beach
Of Chronos, unjust father of justice,
Broke, mere waves, leaving in memory
      Just the foam's white murmur.

2-IX-1923

A flor que és, não a que dás, eu quero.
Por que me negas o que te não peço?
    Tempo há para negares
    Depois de teres dado.
Flor, sê-me flor! Se te colher avaro
A mão da infausta esfinge, tu perene
    Sombra errarás absurda,
    Buscando o que não deste.

I want the flower you are, not the one you give.
Why refuse what I'm not asking you for?
      You'll have time to refuse
      After you've given.
Flower, be my flower! If in this unyielding state
The dire sphinx's hand should pluck you, you'll roam
      Forever, an absurd shadow
      Seeking what you didn't give.

21-X-1923

Como se cada beijo
Fora de despedida,
Minha Cloe, beijemo-nos, amando.
Talvez que já nos toque
No ombro a mão, que chama
À barca que não vem senão vazia;
E que no mesmo feixe
Ata o que mútuos fomos
E a alheia soma universal da vida.

As if each kiss
Were a kiss of farewell,
Let us lovingly kiss, my Chloe.
Already our shoulder
Might feel the hand
Which calls to that fatally empty boat
And binds in one sheaf
What together we were
With the alien universal sum of life.

17-XI-1923

De novo traz as aparentes novas
Flores o verão novo, e novamente
    Verdesce a cor antiga
    Das folhas redivivas.
Não mais, não mais dele o infecundo abismo,
Que mudo sorve o que mal somos, torna
    À clara luz superna
    A presença vivida.
Não mais; e a prole a que, pensando, dera
A vida da razão, em vão o chama,
    Que as nove chaves fecham
    Da 'Stige irreversível.
O que foi como um deus entre os que cantam,
O que do Olimpo as vozes, que chamavam,
    'Scutando ouviu, e, ouvindo,
    Entendeu, hoje é nada.
Tecei embora as, que teceis, grinaldas.
Quem coroais, não coroando a ele?
    Votivas as deponde,
    Fúnebres sem ter culto.
Fique, porém, livre da leiva e do Orco,
A fama; e tu, que Ulisses erigira,
    Tu, em teus sete montes,
    Orgulha-te materna,

The new summer that newly brings
Apparently new flowers renews
    The ancient green
    Of the revived leaves.
No more will the barren abyss, which silently
Swallows what we hardly are, give back
    To the clear light of day
    His living presence.
No more; and the progeny to whom his thought
Gave the life of reason, pleads for him in vain,
    For the Styx's nine keys
    Lock but do not open.
He who was like a god among singers,
Who heard the voices that called from Olympus
    And, hearing, listened
    And understood, is now nothing.
But weave for him still the garlands you weave.
Whom will you crown if you don't crown him?
    Present them as funerary
    Offerings with no cult.
But let not the loam or Hades touch
His fame; and you, whom Ulysses founded,
    You, with your seven hills,
    Take maternal pride,

---

* "To the Manes of master Caeiro." The penultimate stanza refers to Lisbon, which has seven hills and was founded, according to legend, by Ulysses. Caeiro, according to his "biography," was born in Lisbon.

Igual, desde ele, às sete que contendem
Cidades por Homero, ou alcaica Lesbos,
    Ou heptápila Tebas,
      Ogígia mãe de Píndaro.

Equal, since him, to the seven cities
Claiming Homer, to alcaic Lesbos
    And seven-gated Thebes,
      Ogygian mother of Pindar.

22-X-1923

Não queiras, Lídia, edificar no 'spaço
Que figuras futuro, ou prometer-te
Amanhã. Cumpre-te hoje, não 'sperando.
      Tu mesma és tua vida.
Não te destines, que não és futura.
Quem sabe se, entre a taça que esvazias,
E ela de novo enchida, não te a sorte
      Interpõe o abismo?

Don't try to build in the space you suppose
Is future, Lydia, and don't promise yourself
Tomorrow. Quit hoping and be who you are
       Today. You alone are your life.
Don't plot your destiny, for you are not future.
Between the cup you empty and the same cup
Refilled, who knows whether your fortune
       Won't interpose the abyss?

[1923?]

Já sobre a fronte vã se me acinzenta
O cabelo do jovem que perdi.
          Meus olhos brilham menos.
Já não tem jus a beijos minha boca.
Se me ainda amas, por amor não ames:
         Traíras-me comigo.

Already over my vain brow
The hair of that youth who died is graying.
    My eyes shine less today.
My lips have lost their right to kisses.
If you still love me, for love's sake stop loving:
    Don't cheat on me with me.

13-VI-1926

Toda visão da crença se acompanha,
Toda crença da acção; e a acção se perde,
Água em água entre tudo.
Conhece-te, se podes. Se não podes
Conhece que não podes. Saber sabe.
Sê teu. Não dês nem 'speres.

Where there's vision, there's belief;
Where belief, action. And the action's lost,
    Water in water, amid everything.
Know yourself, if you can; and know
You can't, if you can't. Know how to know.
      Belong to yourself. Don't give; don't hope.

19-X-1927

Pesa a sentença atroz do algoz ignoto
Em cada cerviz néscia. É entrudo e riem,
Felizes, porque neles pensa e sente
    A vida, que não eles.
De rosas, inda que de falsas, teçam
Capelas veras. Breve e vão é o tempo
Que lhes é dado, e por misericórdia
    Breve nem vão sentido.
Se a ciência é vida, sábio é só o néscio.
Quão pouco diferença a mente interna
Do homem da dos brutos! Sus! Deixai
    Brincar os moribundos!

On each ignorant neck weighs the dread sentence
Of the unknown executioner. It's Carnival
And they're laughing, happy, since in them life's
          What thinks and feels,
Not they themselves. From tissue-paper roses
They weave true chapels. They have the good fortune
Not to feel the brief, vain time they're given
          As brief or vain.
If knowledge is life, only the ignorant
Are wise. How little man's inner mind differs
From that of the beasts. Indeed! So let
          The dying play!

20-II-1928

O que sentimos, não o que é sentido,
É o que temos. Claro, o inverno estreita.
　　　Como à sorte o acolhamos.
Haja inverno na terra, não na mente,
E, amor a amor, ou livro a livro, amemos
　　　Nossa lareira breve.

What we feel, not what is felt,
Is what we have. The clear winter straitens.
　　　Like fate let's accept it.
May winter wrap earth and not our minds,
As from love to love, or book to book,
　　　We enjoy our brief fire.

8-VII-1930

Outros com liras ou com harpas narram,
        Eu com meu pensamento.
Que, por meio de música, acham nada
        Se acham só o que sentem.
Mais pesam as palavras que, medidas,
        Dizem que o mundo existe.

Others narrate with lyres or harps;
      I tell with my thought.
For he finds nothing, who through music
      Finds only what he feels.
Words weigh more which, carefully measured,
      Say that the world exists.

10-XII-1931

Ninguém, na vasta selva religiosa
Do mundo inumerável, finalmente
      Vê o deus que conhece.
Só o que a brisa traz se ouve na brisa.
O que pensamos, seja amor ou deuses,
      Passa, porque passamos.

In the vast religious jungle sprawling
Across the world, no one ever
     Sees the god he knows.
We hear in the breeze what the breeze brings.
What we think, be it love or gods,
     Passes, because we pass.

10-XII-1931

Nada fica de nada. Nada somos.
Um pouco ao sol e ao ar nos atrasamos
Da irrespirável treva que nos pese
        Da húmida terra imposta,
Cadáveres adiados que procriam.

Leis feitas, 'státuas vistas, odes findas —
Tudo tem cova sua. Se nós, carnes
A que um íntimo sol dá sangue, temos
        Poente, por que não elas?
Somos contos contando contos, nada.

Nothing of nothing remains. We're nothing.
In the sun and air we put off briefly
The unbreathable darkness of damp earth
      Whose weight we'll have to bear —
Postponed corpses that procreate.

Laws passed, statues seen, odes finished —
All have their grave. If we, heaps of flesh
Made sanguine by an inner sun,
      Must set, then why not they?
We're tales telling tales, nothing…

28-IX-1932

Para ser grande, sê inteiro: nada
      Teu exagera ou exclui.
Sê todo em cada coisa. Põe quanto és
      No mínimo que fazes.
Assim em cada lago a lua toda
      Brilha, porque alta vive.

To be great, be whole: don't exaggerate
        Or leave out any part of you.
Be complete in each thing. Put all you are
        Into the least of your acts.
So too in each lake, with its lofty life,
        The whole moon shines.

14-II-1933

Vivem em nós inúmeros;
Se penso ou sinto, ignoro
Quem é que pensa ou sente.
Sou somente o lugar
Onde se sente ou pensa.

Tenho mais almas que uma.
Há mais eus do que eu mesmo.
Existo todavia
Indiferente a todos.
Faço-os calar: eu falo.

Os impulsos cruzados
Do que sinto ou não sinto
Disputam em quem sou.
Ignoro-os. Nada ditam
A quem me sei: eu escrevo.

Countless lives inhabit us.
I don't know, when I think or feel,
Who is thinking or feeling.
I am merely the place
Where things are thought or felt.

I have more than just one soul.
There are more I's than I myself.
I exist, nevertheless,
Indifferent to them all.
I silence them: I speak.

The crossing urges of what
I feel or do not feel
Struggle in who I am, but I
Ignore them. They dictate nothing
To the I I know: I write.

13-XI-1935

Álvaro de Campos

I don't believe in anything but the existence of my sensations; I have no other certainty, not even of the outer universe conveyed to me by those sensations. I don't see the outer universe, I don't hear the outer universe, I don't touch the outer universe. I see my visual impressions; I hear my auditory impressions; I touch my tactile impressions. It's not with the eyes but with the soul that I see; it's not with the ears but with the soul that I hear; it's not with the skin but with the soul that I touch. And if someone should ask me what the soul is, I'll answer that it's me.

(from Álvaro de Campos's *Notes for the Memory of my Master Caeiro*)

For Campos, sensation is indeed all, but not necessarily sensation of things as they are, but of things as they are felt. So that he takes sensation subjectively and applies all his efforts, once so thinking, not to develop in himself the sensation of things as they are, but all sorts of sensations of things, even of the same thing. To feel is all; it is logical to conclude that the best is to feel all sorts of things in all sorts of ways, or, as Álvaro de Campos says himself, "to feel everything in every way." So he applies himself to feeling the town as much as he feels the country, the normal as he feels the abnormal, the bad as he feels the good, the morbid as the healthy. He never questions, he feels. He is the undisciplined child of sensation. Caeiro has one discipline: things must be felt as they are. Ricardo Reis has another kind of discipline: things must be felt, not only as they are, but also so as to fall in with a certain ideal of classic measure and rule. In Álvaro de Campos things must simply be felt.

(from a preface, in English, to the poetry of Alberto Caeiro)

136

Álvaro de Campos is excellently defined as a Walt Whitman with a Greek poet inside. He has all the power of intellectual, emotional and physical sensation that characterized Whitman. But he [also] has the precisely opposite trait — a power of construction and orderly development of a poem that no poet since Milton has attained. Álvaro de Campos's "Triumphal Ode," which is written in the Whitmanesque absence of stanza and rhyme, has a construction and an orderly development which stultifies the perfection that "Lycidas," for instance, can claim in this particular.

(from a preface to a projected *Anthology of the Portuguese Sensationists*, in English)

If I were a woman (hysterical phenomena in women erupt externally, through attacks and the like), each poem of Álvaro de Campos (the most hysterically hysterical part of me) would be a general alarm to the neighborhood.

(from a letter of Pessoa dated 13 January 1935)

137

ODE TRIUNFAL

À dolorosa luz das grandes lâmpadas eléctricas da fábrica
Tenho febre e escrevo.
Escrevo rangendo os dentes, fera para a beleza disto,
Para a beleza disto totalmente desconhecida dos antigos.

Ó rodas, ó engrenagens, *r-r-r-r-r-r* eterno!
Forte espasmo retido dos maquinismos em fúria!
Em fúria fora e dentro de mim,
Por todos os meus nervos dissecados fora,
Por todas as papilas fora de tudo com que eu sinto!
Tenho os lábios secos, ó grandes ruídos modernos,
De vos ouvir demasiadamente de perto,
E arde-me a cabeça de vos querer cantar com um excesso
De expressão de todas as minhas sensações,
Com um excesso contemporâneo de vós, ó máquinas!

Em febre e olhando os motores como a uma Natureza tropical —
Grandes trópicos humanos de ferro e fogo e força —
Canto, e canto o presente, e também o passado e o futuro,
Porque o presente é todo o passado e todo o futuro
E há Platão e Virgílio dentro das máquinas e das luzes eléctricas
Só porque houve outrora e foram humanos Virgílio e Platão,
E pedaços do Alexandre Magno do século talvez cinquenta,
Átomos que hão-de ir ter febre para o cérebro do Ésquilo do século cem,
Andam por estas correias de transmissão e por estes êmbolos e por estes
        volantes,
Rugindo, rangendo, ciciando, estrugindo, ferreando,
Fazendo-me um excesso de carícias ao corpo numa só carícia à alma.

138

TRIUMPHAL ODE

By the painful light of the factory's huge electric lamps
I write in a fever.
I write gnashing my teeth, rabid for the beauty of all this,
For this beauty completely unknown to the ancients.

O wheels, O gears, eternal *r-r-r-r-r-r-r*!
Bridled convulsiveness of raging mechanisms!
Raging in me and outside me,
Through all my dissected nerves,
Through all the papillae of everything I feel with!
My lips are parched, O great modern noises,
From hearing you at too close a range,
And my head burns with the desire to proclaim you
In an explosive song telling my every sensation,
An explosiveness contemporaneous with you, O machines!

Gaping deliriously at the engines as at a tropical landscape
— Great human tropics of iron and fire and energy —
I sing, I sing the present, and the past and future too,
Because the present is all the past and all the future:
Plato and Virgil exist in the machines and electric lights
For the simple reason that Virgil and Plato once existed and were human,
And bits of an Alexander the Great from perhaps the fiftieth century
As well as atoms that will seethe in the brain of a 100th-century Aeschylus
Go round these transmission belts and pistons and flywheels,
Roaring, grinding, thumping, humming, rattling,
Caressing my body all over with one caress of my soul.

Ah, poder exprimir-me todo como um motor se exprime!
Ser completo como uma máquina!
Poder ir na vida triunfante como um automóvel último-modelo!
Poder ao menos penetrar-me fisicamente de tudo isto,
Rasgar-me todo, abrir-me completamente, tornar-me passento
A todos os perfumes de óleos e calores e carvões
Desta flora estupenda, negra, artificial e insaciável!

Fraternidade com todas as dinâmicas!
Promíscua fúria de ser parte-agente
Do rodar férreo e cosmopolita
Dos comboios estrénuos,
Da faina transportadora-de-cargas dos navios,
Do giro lúbrico e lento dos guindastes,
Do tumulto disciplinado das fábricas,
E do quase-silêncio ciciante e monótono das correias de transmissão!

Horas europeias, produtoras, entaladas
Entre maquinismos e afazeres úteis!
Grandes cidades paradas nos cafés,
Nos cafés — oásis de inutilidades ruidosas
Onde se cristalizam e se precipitam
Os rumores e os gestos do Útil
E as rodas, e as rodas-dentadas e as chumaceiras do Progressivo!
Nova Minerva sem-alma dos cais e das gares!
Novos entusiasmos de estatura do Momento!
Quilhas de chapas de ferro sorrindo encostadas às docas,
Ou a seco, erguidas, nos planos-inclinados dos portos!
Actividade internacional, transatlântica, *Canadian-Pacific!*
Luzes e febris perdas de tempo nos bares, nos hotéis,
Nos Longchamps e nos Derbies e nos Ascots,

If I could express my whole being like an engine!
If I could be complete like a machine!
If I could go triumphantly through life like the latest model car!
If at least I could inject all this into my physical being,
Rip myself wide open, and become pervious
To all the perfumes from the oils and hot coals
Of this stupendous, artificial and insatiable black flora!

Brotherhood with all dynamics!
Promiscuous fury of being a moving part
In the cosmopolitan iron rumble
Of unflagging trains,
In the freight-carrying toil of ships,
In the slow and smooth turning of cranes,
In the disciplined tumult of factories,
And in the humming, monotonic near-silence of transmission belts!

Productive European hours, wedged
Between machines and practical matters!
Big cities pausing for a moment in cafés,
In cafés, those oases of useless chatter
Where the sounds and gestures of the Useful
Crystallize and precipitate,
And with them the wheels, cogwheels and ball bearings of Progress!
New soulless Minerva of wharfs and train stations!
New enthusiasms commensurate with the Moment!
Iron-plated keels smiling on docksides,
Or raised out of the water, on harbor slipways!
International, transatlantic, Canadian Pacific activity!
Lights and feverishly wasted hours in bars, in hotels,
At Longchamps, at Derbies and at Ascots,

E Piccadillies e Avenues de l'Opéra que entram
Pela minh'alma dentro!

Hé-la as ruas, hé-lá as praças, hé-lá-hô la *foule!*
Tudo o que passa, tudo o que pára às montras!
Comerciantes; vadios; *escrocs* exageradamente bem-vestidos;
Membros evidentes de clubes aristocráticos;
Esquálidas figuras dúbias; chefes de família vagamente felizes
E paternais até na corrente de oiro que atravessa o colete
De algibeira a algibeira!
Tudo o que passa, tudo o que passa e nunca passa!
Presença demasiadamente acentuada das cocotes;
Banalidade interessante (e quem sabe o quê por dentro?)
Das burguesinhas, mãe e filha geralmente,
Que andam na rua com um fim qualquer;
A graça feminil e falsa dos pederastas que passam, lentos;
E toda a gente simplesmente elegante que passeia e se mostra
E afinal tem alma lá dentro!

(Ah, como eu desejaria ser o *souteneur* disto tudo!)

A maravilhosa beleza das corrupções políticas,
Deliciosos escândalos financeiros e diplomáticos,
Agressões políticas nas ruas,
E de vez em quando o cometa dum regicídio
Que ilumina de Prodígio e Fanfarra os céus
Usuais e lúcidos da Civilização quotidiana!

Notícias desmentidas dos jornais,
Artigos políticos insinceramente sinceros,
Notícias *passez à-la-caisse*, grandes crimes —
Duas colunas deles passando para a segunda página!

And Piccadillies and Avenues de l'Opéra entering straight
Into my soul!

Hey streets, hey squares, hey bustling crowd!
Everything that passes or that stops before shop windows!
Businessmen, bums, con men in dressy clothes,
Proud members of aristocratic clubs,
Squalid, dubious characters, and vaguely happy family men
Who are paternal even in the gold chains crossing their vests
From one to another pocket!
Everything that passes, passing without ever passing!
The overemphatic presence of prostitutes;
The interesting banality (and who knows what's inside?)
Of bourgeois ladies, usually mother and daughter,
Walking down the street on some errand or other;
The falsely feminine grace of sauntering homosexuals;
And all the simply elegant people who parade down the street
And who also, after all, have a soul!

(Ah, how I'd love to be the pander of all this!)

The dazzling beauty of graft and corruption,
Delicious financial and diplomatic scandals,
Politically motivated assaults on the streets,
And every now and then the comet of a regicide
Lighting up with Awe and Fanfare the usual
Clear skies of everyday Civilization!

Fraudulent reports in the newspapers,
Insincerely sincere political articles,
Sensationalist news, crime stories —
Two columns and continued on the next page!

O cheiro fresco a tinta de tipografia!
Os cartazes postos há pouco, molhados!
Vient-de-paraître amarelos com uma cinta branca!
Como eu vos amo a todos, a todos, a todos,
Como eu vos amo de todas as maneiras,
Com os olhos e com os ouvidos e com o olfacto
E com o tacto (o que palpar-vos representa para mim!)
E com a inteligência como uma antena que fazeis vibrar!
Ah, como todos os meus sentidos têm cio de vós!

Adubos, debulhadoras a vapor, progressos da agricultura!
Química agrícola, e o comércio quase uma ciência!
Ó mostruários dos caixeiros-viajantes,
Dos caixeiros-viajantes, cavaleiros-andantes da Indústria,
Prolongamentos humanos das fábricas e dos calmos escritórios!

Ó fazendas nas montras! ó manequins! ó últimos figurinos!
Ó artigos inúteis que toda a gente quer comprar!
Olá grandes armazéns com várias secções!
Olá anúncios eléctricos que vêm e estão e desaparecem!
Olá tudo com que hoje se constrói, com que hoje se é diferente de ontem!
Eh, cimento armado, betão de cimento, novos processos!
Progressos dos armamentos gloriosamente mortíferos!
Couraças, canhões, metralhadoras, submarinos, aeroplanos!

Amo-vos a todos, a tudo, como uma fera.
Amo-vos carnivoramente,
Pervertidamente e enroscando a minha vista
Em vós, ó coisas grandes, banais, úteis, inúteis,
Ó coisas todas modernas,
Ó minhas contemporâneas, forma actual e próxima

The fresh smell of printer's ink!
The posters that were just put up, still wet!
Yellow books in white wrappers — *vient de paraître*!
How I love all of you, every last one of you!
How I love all of you, in every way possible,
With my eyes, ears, and sense of smell,
With touch (how much it means for me to touch you!)
And with my mind, like an antenna that quivers because of you!
Ah, how all my senses lust for you!

Fertilizers, steam threshers, breakthroughs in farming!
Agricultural chemistry, and commerce a quasi-science!
O sample cases of traveling salesmen,
Those traveling salesmen who are Industry's knights-errant,
Human extensions of the factories and quiet offices!

O fabrics in shop windows! O mannequins! O latest fashions!
O useless items that everyone wants to buy!
Hello enormous department stores!
Hello electric signs that flash on, glare, and disappear!
Hello everything used to build today, to make it different from yesterday!
Hey cement, reinforced concrete, new technologies!
The improvements in gloriously lethal weapons!
Armor, cannons, machine-guns, submarines, airplanes!

I love all of you and all things like a beast.
I love you carnivorously,
Pervertedly, wrapping my eyes
All around you, O great and banal, useful and useless things,
O absolutely modern things my contemporaries,
O present and proximate form

Do sistema imediato do Universo!
Nova Revelação metálica e dinâmica de Deus!

Ó fábricas, ó laboratórios, ó *music-halls*, ó Luna-Parks,
Ó couraçados, ó pontes, ó docas flutuantes —
Na minha mente turbulenta e encandescida
Possuo-vos como a uma mulher bela,
Completamente vos possuo como a uma mulher bela que não se ama,
Que se encontra casualmente e se acha interessantíssima.

Eh-lá-hô fachadas das grandes lojas!
Eh-lá-hô elevadores dos grandes edifícios!
Eh-lá-hô recomposições ministeriais!
Parlamentos, políticas, relatores de orçamentos,
Orçamentos falsificados!
(Um orçamento é tão natural como uma árvore
E um parlamento tão belo como uma borboleta).

Eh-lá o interesse por tudo na vida,
Porque tudo é a vida, desde os brilhantes nas montras
Até à noite ponte misteriosa entre os astros
E o mar antigo e solene, lavando as costas
E sendo misericordiosamente o mesmo
Que era quando Platão era realmente Platão
Na sua presença real e na sua carne com a alma dentro,
E falava com Aristóteles, que havia de não ser discípulo dele.

Eu podia morrer triturado por um motor
Com o sentimento de deliciosa entrega duma mulher possuída.
Atirem-me para dentro das fornalhas!
Metam-me debaixo dos comboios!
Espanquem-me a bordo de navios!

Of the immediate system of the Universe!
New metallic and dynamic Revelation of God!

O factories, O laboratories, O music halls, O amusement parks,
O battleships, O bridges, O floating docks —
In my restless, ardent mind
I possess you like a beautiful woman,
I completely possess you like a beautiful woman who isn't loved
But who fascinates the man who happens to meet her.

Hey-ya façades of big stores!
Hey-ya elevators of tall buildings!
Hey-ya major cabinet reshufflings!
Policy decisions, parliaments, budget officers,
Trumped-up budgets!
(A budget is as natural as a tree
And a parliament as beautiful as a butterfly.)

Hi-ya the fascination of everything in life,
Because everything is life, from the diamonds in shop windows
To the mysterious bridge of night between the stars
And the ancient, solemn sea that laps the shores
And is mercifully the same
As when Plato was really Plato
In his real presence, in his flesh that had a soul,
And he spoke with Aristotle, who was not to be his disciple.

I could be shredded to death by an engine
And feel a woman's sweet surrender when possessed.
Toss me into the furnaces!
Throw me under passing trains!
Thrash me aboard ships!

Masoquismo através de maquinismos!
Sadismo de não sei quê moderno e eu e barulho!

Up-lá-hô jockey que ganhaste o *Derby*,
Morder entre dentes o teu *cap* de duas cores!

(Ser tão alto que não pudesse entrar por nenhuma porta!
Ah, olhar é em mim uma perversão sexual!)

Eh-lá, eh-lá, eh-lá, catedrais!
Deixai-me partir a cabeça de encontro às vossas esquinas,
E ser levantado da rua cheio de sangue
Sem ninguém saber quem eu sou!

Ó *tramways*, funiculares, metropolitanos,
Roçai-vos por mim até ao espasmo!
Hilla! hilla! hilla-hô!
Dai-me gargalhadas em plena cara,
Ó automóveis apinhados de pândegos e de putas,
Ó multidões quotidianas nem alegres nem tristes das ruas,
Rio multicolor anónimo e onde eu não me posso banhar como quereria!
Ah, que vidas complexas, que coisas lá pelas casas de tudo isto!
Ah, saber-lhes as vidas a todos, as dificuldades de dinheiro,
As dissensões domésticas, os deboches que não se suspeitam,
Os pensamentos que cada um tem a sós consigo no seu quarto
E os gestos que faz quando ninguém o pode ver!
Não saber tudo isto é ignorar tudo, ó raiva,
Ó raiva que como uma febre e um cio e uma fome
Me põe a magro o rosto e me agita às vezes as mãos
Em crispações absurdas em pleno meio das turbas
Nas ruas cheias de encontrões!

Masochism through machines!
Some modern sort of sadism, and I, and the hubbub!

Alley-oop jockey who won the Derby,
Oh to sink my teeth into your two-colored cap!

(To be so tall that I couldn't pass through any door!
Ah, gazing is for me a sexual perversion!)

Hi-ya, hi-ya, hi-ya, cathedrals!
Let me bash my head against the edges of your stones,
And be picked up from the ground, a bloody mess,
Without anyone knowing who I am!

O streetcars, cable cars, subways,
Graze and scrape me until I rave in ecstasy!
Hey-ya, hey-ya, hey-ya-ho!
Laugh in my face,
O cars full of carousers and whores,
O daily swarm of pedestrians neither sad nor happy,
Motley anonymous river where I'd love to swim but can't!
Ah, what complex lives, what things inside their homes!
Ah, to know all about them, their financial troubles,
Their domestic quarrels, their unsuspected depravities,
Their thoughts when all alone in their bedrooms,
And their gestures when no one can see them!
Not to know these things is to be ignorant of everything, O rage,
O rage that like a fever or a hunger or a mad lust
Makes my face haggard and my hands prone to shaking
With absurd contractions in the middle of the crowds
Pushing and shoving on the streets!

Ah, e a gente ordinária e suja, que parece sempre a mesma,
Que emprega palavrões como palavras usuais,
Cujos filhos roubam às portas das mercearias
E cujas filhas aos oito anos — e eu acho isto belo e amo-o! —
Masturbam homens de aspecto decente nos vãos de escada.
A gentalha que anda pelos andaimes e que vai para casa
Por vielas quase irreais de estreiteza e podridão.
Maravilhosa gente humana que vive como os cães,
Que está abaixo de todos os sistemas morais,
Para quem nenhuma religião foi feita,
Nenhuma arte criada,
Nenhuma política destinada para eles!
Como eu vos amo a todos, porque sois assim,
Nem imorais de tão baixos que sois, nem bons nem maus,
Inatingíveis por todos os progressos,
Fauna maravilhosa do fundo do mar da vida!

(Na nora do quintal da minha casa
O burro anda à roda, anda à roda,
E o mistério do mundo é do tamanho disto.
Limpa o suor com o braço, trabalhador descontente.
A luz do sol abafa o silêncio das esferas
E havemos todos de morrer,
Ó pinheirais sombrios ao crepúsculo,
Pinheirais onde a minha infância era outra coisa
Do que eu sou hoje…)

Mas, ah outra vez a raiva mecânica constante!
Outra vez a obsessão movimentada dos ómnibus.
E outra vez a fúria de estar indo ao mesmo tempo dentro de todos os
        comboios
De todas as partes do mundo,
De estar dizendo adeus de bordo de todos os navios,

Ah, and the ordinary, sordid people who always look the same,
Who use swearwords like regular words,
Whose sons steal from grocers
And whose eight-year-old daughters (and I think this is sublime!)
Masturbate respectable-looking men in stairwells.
The rabble who spend all day on scaffolds and walk home
On narrow lanes of almost unreal squalor.
Wondrous human creatures who live like dogs,
Who are beneath all moral systems,
For whom no religion was invented,
No art created,
No politics formulated!
How I love all of you for being what you are,
Neither good nor evil, too humble to be immoral,
Impervious to all progress,
Wondrous fauna from the depths of the sea of life!

(The donkey goes round and round
The water wheel in my yard,
And this is the measure of the world's mystery.
Wipe off your sweat with your arm, disgruntled worker.
The sunlight smothers the silence of the spheres
And we must all die,
O gloomy pine groves at twilight,
Pine groves where my childhood was different
From what I am today...)

Ah, but once more the incessant mechanical rage!
Once more the obsessive motion of buses.
And once more the fury of traveling in every train in the world
At the same time,
Of saying farewell from the deck of every ship

Que a estas horas estão levantando ferro ou afastando-se das docas.
Ó ferro, ó aço, ó alumínio, ó chapas de ferro ondulado!
Ó cais, ó portos, ó comboios, ó guindastes, ó rebocadores!

Eh-lá grandes desastres de comboios!
Eh-lá desabamentos de galerias de minas!
Eh-lá naufrágios deliciosos dos grandes transatlânticos!
Eh-lá-hô revoluções aqui, ali, acolá,
Alterações de constituições, guerras, tratados, invasões,
Ruído, injustiças, violências, e talvez para breve o fim,
A grande invasão dos bárbaros amarelos pela Europa,
E outro Sol no novo Horizonte!

Que importa tudo isto, mas que importa tudo isto
Ao fúlgido e rubro ruído contemporâneo,
Ao ruído cruel e delicioso da civilização de hoje?
Tudo isso apaga tudo, salvo o Momento,
O Momento de tronco nu e quente como um fogueiro,
O Momento estridentemente ruidoso e mecânico,
O Momento dinâmico passagem de todas as bacantes
Do ferro e do bronze e da bebedeira dos metais.

Eia comboios, eia pontes, eia hotéis à hora do jantar,
Eia aparelhos de todas as espécies, férreos, brutos, mínimos,
Instrumentos de precisão, aparelhos de triturar, de cavar,
Engenhos, brocas, máquinas rotativas!
Eia! eia! eia!
Eia electricidade, nervos doentes da Matéria!
Eia telegrafia-sem-fios, simpatia metálica do Inconsciente!
Eia túneis, eia canais, Panamá, Kiel, Suez!
Eia todo o passado dentro do presente!
Eia todo o futuro já dentro de nós! eia!

Which at this moment is weighing anchor or drawing away from a dock.
O iron, O steel, O aluminum, O corrugated sheet metal!
O wharfs, O ports, O trains, O cranes, O tugboats!

Hi-ya great train disasters!
Hi-ya caved-in mineshafts!
Hi-ya exquisite shipwrecks of great ocean liners!
Hi-ya-ho revolutions here, there and everywhere,
Constitutional changes, wars, treaties, invasions,
Outcries, injustice, violence, and perhaps very soon the end,
The great invasion of yellow barbarians across Europe,
And another Sun on the new Horizon!

But what does it matter? What does all this matter
To the glowing, red-hot racket of today,
To the delicious, cruel racket of modern civilization?
All this erases everything except the Moment,
The Moment with its bare chest as hot as a stoker's,
The shrill and mechanical Moment,
The dynamic Moment of all the bacchantes
Of iron and bronze and the drunk ecstasy of metals.

Hey trains, hey bridges, hey hotels at dinnertime,
Hey iron tools, heavy tools, minuscule and other tools,
Precision instruments, grinding tools, digging tools,
Mills, drills, and rotary devices!
Hey! hey! hey!
Hey electricity, Matter's aching nerves!
Hey wireless telegraphy, metallic sympathy of the Unconscious!
Hey tunnels, hey Panama, Kiel and Suez canals!
Hey all the past inside the present!
Hey all the future already inside us! Hey!

Eia! eia! eia!
Frutos de ferro e útil da árvore-fábrica cosmopolita!
Eia! eia! eia! eia-hô-ô-ô!
Nem sei que existo para dentro. Giro, rodeio, engenho-me.
Engatam-me em todos os comboios.
Içam-me em todos os cais.
Giro dentro das hélices de todos os navios.
Eia! eia-hô! eia!
Eia! sou o calor mecânico e a electricidade!
Eia! e os *rails* e as casas de máquinas e a Europa!
Eia e hurrah por mim-tudo e tudo, máquinas a trabalhar, eia!

Galgar com tudo por cima de tudo! Hup-lá!

Hup lá, hup lá, hup-lá-hô, hup-lá!
Hé-há! Hé-hô! Ho-o-o-o-o!
Z-z-z-z-z-z-z-z-z-z-z-z!

Ah não ser eu toda a gente e toda a parte!

Hey! hey! hey!
Useful iron fruits of the cosmopolitan factory-tree!
Hey! hey! hey! Hey-ya-hi-ya!
I'm oblivious to my inward existence. I turn, I spin, I forge myself.
I'm coupled to every train.
I'm hoisted up on every dock.
I spin in the propellers of every ship.
Hey! hey-ya! hey!
Hey! I'm mechanical heat and electricity!
Hey! and the railways and engine rooms and Europe!
Hey and hooray for all in all and all in me, machines at work, hey!

To leap with everything over everything! Alley-oop!

Alley-oop, alley-oop, alley-oop-la, alley-oop!
Hey-ya, hi-ya! Ho-o-o-o-o!
Whir-r-r-r-r-r-r-r-r-r-r!

Ah if only I could be all people and all places!

June of 1914

A PASSAGEM DAS HORAS (excerto)

Sentir tudo de todas as maneiras,
Ter todas as opiniões,
Ser sincero contradizendo-se a cada minuto,
Desagradar a si próprio pela plena liberalidade de espírito,
E amar as cousas como Deus.

Eu, que sou mais irmão de uma árvore que de um operário,
Eu, que sinto mais a dor suposta do mar ao bater na praia
Que a dor real das crianças em quem batem
(Ah, como isto deve ser falso, pobres crianças em quem batem —
E por que é que as minhas sensações se revezam tão depressa?)
Eu, enfim, que sou um diálogo contínuo,
Um falar-alto incompreensível, alta-noite na torre,
Quando os sinos oscilam vagamente sem que mão lhes toque
E faz pena saber que há vida que viver amanhã.
Eu, enfim, literalmente eu,
E eu metaforicamente também,
Eu, o poeta sensacionista, enviado do Acaso
Às leis irrepreensíveis da Vida,
Eu, o fumador de cigarros por profissão adequada,
O indivíduo que fuma ópio, que toma absinto, mas que, enfim,
Prefere pensar em fumar ópio a fumá-lo
E acha mais seu olhar para o absinto a beber que bebê-lo...
Eu, este degenerado superior sem arquivos na alma,
Sem personalidade com valor declarado,
Eu, o investigador solene das cousas fúteis,
Que era capaz de ir viver na Sibéria só por embirrar com isso,
E que acho que não faz mal não ligar importância à pátria

156

TIME'S PASSAGE (excerpt)

To feel everything in every way,
To hold all opinions,
To be sincere contradicting yourself every minute,
To get on your own nerves with complete impartiality,
And to love things just like God.

I, who am more brother to a tree than to a worker,
I, who feel the poetic pain of waves beating the shore
More than the real pain of beaten children
(Ah, but this must be a lie, poor beaten children —
And why is it that my sensations take such sudden turns?),
I, finally, who am an unending dialogue,
An unintelligible talking out loud, dead of night in the tower,
When the bells vaguely sway without a hand having touched them
And it's saddening to know there's life to be lived tomorrow.
I, finally, literally I,
And I metaphorically too,
I, the poet of sensations, sent from Chance
To the irreproachable laws of Life,
I, the cigarette smoker by meet profession,
The man who smokes opium and drinks absinthe but who, in the end,
Prefers thinking about smoking opium to smoking it
And likes looking at absinthe more than drinking it...
I, this superior degenerate with no archives in the soul
And without a value-declared personality,
I, the solemn researcher of futile things,
Who could go and live in Siberia just to get sick of it
And who thinks it's fine not to feel too attached to his homeland,

Porque não tenho raiz, como uma árvore, e portanto não tenho raiz...
Eu, que tantas vezes me sinto tão real como uma metáfora,
Como uma frase escrita por um doente no livro da rapariga que encontrou
      no terraço,
Ou uma partida de xadrez no convés dum transatlântico,
Eu, a ama que empurra os *perambulators* em todos os jardins públicos,
Eu, o polícia que a olha, parado para trás na álea,
Eu, a criança no carro, que acena à sua inconsciência lúcida com um colar
      com guizos,
Eu, a paisagem por detrás disto tudo, a paz citadina
Coada através das árvores do jardim público,
Eu, o que os espera a todos em casa,
Eu, o que eles encontram na rua,
Eu, o que eles não sabem de si próprios,
Eu, aquela cousa em que estás pensando e te marca esse sorriso,
Eu, o contraditório, o fictício, o aranzel, a espuma,
O cartaz posto agora, as ancas da francesa, o olhar do padre,
O lugar onde se encontram as duas ruas e os *chauffeurs* dormem contra os
      carros,
A cicatriz do sargento mal-encarado,
O sebo na gola do explicador doente que volta para casa,
A chávena que era por onde o pequenito que morreu bebia sempre,
E tem uma falha na asa (e tudo isto cabe num coração de mãe e enche-o)...
Eu, o ditado de francês da pequenita que mexe nas ligas,
Eu, os pés que se tocam por baixo do bridge sob o lustre,
Eu, a carta escondida, o calor do lenço, a sacada com a janela entreaberta,
O portão de serviço onde a criada fala com os desejos do primo,
O sacana do José que prometeu vir e não veio
E a gente tinha uma partida para lhe fazer...
Eu, tudo isto, e além disto o resto do mundo...
Tanta cousa, as portas que se abrem, e a razão por que elas se abrem,

For I don't have roots, I'm not a tree, and so I have no roots...
I, who often feel as real as a metaphor,
As a sentence written by a sick man in the book of the girl he met on the
        terrace,
Or as a game of chess on the deck of an ocean liner,
I, the nursemaid who pushes baby carriages in all public gardens,
I, the policeman standing behind her on the walkway, watching,
I, the baby in the carriage who waves at his lucid unconsciousness with
        a necklace of little bells,
I, the scenery behind all this, the civic peace
Filtered through the garden's trees,
I, who wait for them all at home,
I, whomever they meet in the street,
I, whatever they don't know about themselves,
I, what you're thinking about and that makes you smile,
I, the contradictory, the fictitious, the blather, the foam,
The poster just hung up, the French girl's hips, the priest's gaze,
The place where two roads meet and the chauffeurs are sleeping against
        their cars,
The scar of the mean-looking sergeant,
The sweaty ring on the shirt collar of the sick tutor going home,
The teacup from which the little boy who died always drank,
And the handle is chipped (and all this fits in a mother's heart and fills
        it)...
I, the French dictation of the girl fiddling with her garter,
I, the feet that touch beneath the bridge game under the ceiling lamp,
I, the hidden card, the scarf's warmth, the balcony window half open,
The service entrance where the maid talks with her desires for her cousin,
That rascal José who promised to come but didn't
And I had a trick to play on him...
I, all this, and besides this the rest of the world...
So many things, the doors that open, and the reason why they open,

E as cousas que já fizeram as mãos que abrem as portas...
Eu, a infelicidade-nata de todas as expressões,
A impossibilidade de exprimir todos os sentimentos,
Sem que haja uma lápide no cemitério para o irmão de tudo isto,
E o que parece não querer dizer nada sempre quer dizer qualquer cousa...
Sim, eu, o engenheiro naval que sou supersticioso como uma camponesa
    madrinha,
E uso monóculo para não parecer igual à ideia real que faço de mim,
Que levo às vezes três horas a vestir-me e nem por isso acho isso natural,
Mas acho-o metafísico e se me batem à porta zango-me,
Não tanto por me interromperem a gravata como por ficar sabendo que
    há a vida...
Sim, enfim, eu o destinatário das cartas lacradas,
O baú das iniciais gastas,
A intonação das vozes que nunca ouviremos mais —
Deus guarda isso tudo no Mistério, e às vezes sentimo-lo
E a vida pesa de repente e faz muito frio mais perto que o corpo.
A Brígida prima da minha tia,
O general em que elas falavam — general quando elas eram pequenas,
E a vida era guerra civil a todas as esquinas...
Vive le mélodrame où Margot a pleuré!
Caem folhas secas no chão irregularmente,
Mas o facto é que sempre é outono no outono,
E o inverno vem depois fatalmente,
E há só um caminho para a vida, que é a vida...

Esse velho insignificante, mas que ainda conheceu os românticos,
Esse opúsculo político do tempo das revoluções constitucionais,
E a dor que tudo isso deixa, sem que se saiba a razão
Nem haja para chorar tudo mais razão que senti-lo.

Todos os amantes beijaram-se na minh'alma,
Todos os vadios dormiram um momento em cima de mim,

And the things that the hands that open the doors have already done…
I, the inborn unhappiness of all expressions,
The impossibility of expressing all feelings,
With no tombstone in the cemetery for the brother of all this,
And what seems to mean nothing always means something…
Yes I, the naval engineer who's as superstitious as an old farmer's wife,
Who uses a monocle so as not to look like the real idea I have of myself,
And who sometimes spends three hours getting dressed and still doesn't
       find it at all natural,
But I do find it metaphysical, and it vexes me if someone knocks at the
       door,
Not so much for interrupting my necktie but for reminding me there's life.
Yes, finally, I the addressee of sealed letters,
The chest with the worn initials,
The intonation of voices we'll never hear again —
God keeps all this in Mystery, and occasionally we feel it
And life's suddenly heavy and produces a chill more intimate than skin.
Brigida my aunt's cousin,
The general they used to talk about — a general when they were little
And life was civil war on every street corner…
Vive le mélodrame où Margot a pleuré!
Dry leaves fall to the ground intermittently,
But the fact is that it's always autumn in autumn,
And winter inexorably follows it,
And life has only one path, which is life.

That old man, a nobody, but he knew the last of the Romantics,
That political pamphlet from the time of the constitutional revolutions,
And the sorrow that all this causes, for some unknown reason,
And the only reason to cry about it is to feel.

All lovers have kissed one another in my soul,
All vagrants have slept on me for a moment,

161

Todos os desprezados encostaram-se um momento ao meu ombro,
Atravessaram a rua, ao meu braço, todos os velhos e os doentes,
E houve um segredo que me disseram todos os assassinos.

(Aquela cujo sorriso sugere a paz que eu não tenho,
Em cujo baixar-de-olhos há uma paisagem da Holanda,
Com as cabeças femininas *coiffées de lin*
E todo o esforço quotidiano de um povo pacífico e limpo…
Aquela que é o anel deixado em cima da cómoda,
E a fita entalada com o fechar da gaveta,
Fita cor-de-rosa, não gosto da cor mas da fita entalada,
Assim como não gosto da vida, mas gosto de senti-la…

Dormir como um cão corrido no caminho, ao sol,
Definitivamente para todo o resto do Universo,
E que os carros me passem por cima)

Fui para a cama com todos os sentimentos,
Fui *souteneur* de todas as emoções,
Pagaram-me bebidas todos os acasos das sensações,
Troquei olhares com todos os motivos de agir,
Estive mão em mão com todos os impulsos para partir,
Febre imensa das horas!
Angústia da forja das emoções!
Raiva, espuma, a imensidão que não cabe no meu lenço,
A cadela a uivar de noite,
O tanque da quinta a passear à roda da minha insónia,
O bosque como foi à tarde, quando lá passeámos, a rosa,
A madeixa indiferente, o musgo, os pinheiros,
Toda a raiva de não conter isto tudo, de não deter isto tudo,
Ó fome abstracta das cousas, cio impotente dos momentos,
Orgia intelectual de sentir a vida!

All the scorned have leaned for an instant on my shoulder,
All the old and infirm have crossed the street on my arm,
And there was a secret told me by every murderer.

(That woman whose smile suggests the peace I don't have,
In whose lowering of the eyes there's a Dutch landscape
With the female heads wrapped in white linen
And the daily effort of a clean and peaceful people...
That woman who is the ring left on top of the dresser,
And the ribbon that's caught when the drawer is shut,
A pink ribbon, I don't like the color but I like the ribbon being caught,
As I don't like life but like to feel it...

To sleep like a spurned dog on the road in broad daylight,
Definitively for the rest of the Universe,
With cars running right over me...)

I've gone to bed with every feeling,
I've been the pimp of every emotion,
All felt sensations have bought me drinks,
I've traded glances with every motive for every act,
I've held hands with every urge to depart,
Tremendous fever of time!
Anguished furnace of emotions!
Rage, foam, the vastness that doesn't fit in my handkerchief,
The dog in heat howling in the night,
The pool from the country house circling around my insomnia,
The woods as they were, on our late afternoon walks, the rose,
The indifferent tuft of hair, the moss, the pines,
The rage of not containing all this, not retaining all this,
O abstract hunger for things, impotent libido for moments,
Intellectual orgy of feeling life!

Obter tudo por suficiência divina —
As vésperas, os consentimentos, os avisos,
As cousas belas da vida —
O talento, a virtude, a impunidade,
A tendência para acompanhar os outros a casa,
A situação de passageiro,
A conveniência em embarcar já para ter lugar,
E falta sempre uma cousa, um copo, uma brisa, uma frase,
E a vida dói quanto mais se goza e quanto mais se inventa.

Poder rir, rir, rir despejadamente,
Rir como um copo entornado,
Absolutamente doido só por sentir,
Absolutamente roto por me roçar contra as cousas,
Ferido na boca por morder cousas,
Com as unhas em sangue por me agarrar a cousas,
E depois dêem-me a cela que quiserem que eu me lembrarei da vida.

To obtain everything by divine sufficiency —
Holiday eves, permissions, useful tips,
Life's beautiful things —
Talent, virtue, impunity,
The inclination to see others home,
The status of traveler,
The convenience of boarding early so as to get a seat,
And something's always missing, a glass, a breeze, a phrase,
And the more we invent and enjoy, the more life hurts.

To be able to laugh, laugh, laugh uproariously,
To laugh like an overturned glass,
Completely crazy just from feeling,
Completely disfigured from scraping against things,
My mouth cut up from biting on things,
My fingernails bloody from clawing at things,
And then give me whatever cell you like that I may look back on life.

[1916]

Não: não quero nada.
Já disse que não quero nada.

Não me venham com conclusões!
A única conclusão é morrer.

Não me tragam estéticas!
Não me falem em moral!
Tirem-me daqui a metafísica!
Não me apregoem sistemas completos, não me enfileirem conquistas
Das ciências (das ciências, Deus meu, das ciências!) —
Das ciências, das artes, da civilização moderna!

Que mal fiz eu aos deuses todos?

Se têm a verdade, guardem-na!

Sou um técnico, mas tenho técnica só dentro da técnica.
Fora disso sou doido, com todo o direito a sê-lo.
Com todo o direito a sê-lo, ouviram?

Não me macem, por amor de Deus!

Queriam-me casado, fútil, quotidiano e tributável?
Queriam-me o contrário disto, o contrário de qualquer cousa?
Se eu fosse outra pessoa, fazia-lhes, a todos, a vontade.
Assim, como sou, tenham paciência!

LISBON REVISITED (1923)

No, I don't want anything.
I already said I don't want anything.

Don't come to me with conclusions!
Death is the only conclusion.

Don't offer me aesthetics!
Don't talk to me of morals!
Take metaphysics away from here!
Don't try to sell me complete systems, don't bore me with the breakthroughs
Of science (of science, my God, of science!) —
Of science, of the arts, of modern civilization!

What harm did I ever do to the gods?

If you've got the truth, you can keep it!

I'm a technician, but my technique is limited to the technical sphere,
Apart from which I'm crazy, and with every right to be so.
With every right to be so, do you hear?

Leave me alone, for God's sake!

You want me to be married, futile, conventional and taxable?
You want me to be the opposite of this, the opposite of anything?
If I were someone else, I'd go along with you all.
But since I'm what I am, lay off!

Vão para o diabo sem mim,
Ou deixem-me ir sozinho para o diabo!
Para que havemos de ir juntos?

Não me peguem no braço!
Não gosto que me peguem no braço. Quero ser sozinho.
Já disse que sou só sozinho!
Ah, que maçada quererem que eu seja de companhia!

Ó céu azul — o mesmo da minha infância —,
Eterna verdade vazia e perfeita!
Ó macio Tejo ancestral e mudo,
Pequena verdade onde o céu se reflecte!
Ó mágoa revisitada, Lisboa de outrora de hoje!
Nada me dais, nada me tirais, nada sois que eu me sinta.

Deixem-me em paz! Não tardo, que eu nunca tardo…
E enquanto tarda o Abismo e o Silêncio quero estar sozinho!

Go to hell without me,
Or let me go there by myself!
Why do we have to go together?

Don't grab me by the arm!
I don't like my arm being grabbed. I want to be alone.
I already told you that I can only be alone!
I'm sick of you wanting me to be sociable!

O blue sky — the same one I knew as a child —
Perfect and empty eternal truth!
O gentle, silent, ancestral Tagus,
Tiny truth in which the sky is mirrored!
O sorrow revisited, Lisbon of bygone days today!
You give me nothing, you take nothing from me, you're nothing I feel
       is me.

Leave me in peace! I won't stay long, for I never stay long...
And as long as Silence and the Abyss hold off, I want to be alone!

LISBON REVISITED (1926)

Nada me prende a nada.
Quero cinquenta coisas ao mesmo tempo.
Anseio com uma angústia de fome de carne
O que não sei que seja —
Definidamente pelo indefinido...
Durmo irrequieto, e vivo num sonhar irrequieto
De quem dorme irrequieto, metade a sonhar.

Fecharam-me todas as portas abstractas e necessárias.
Correram cortinas por dentro de todas as hipóteses que eu poderia ver da rua.
Não há na travessa achada o número de porta que me deram.

Acordei para a mesma vida para que tinha adormecido.
Até os meus exércitos sonhados sofreram derrota.
Até os meus sonhos se sentiram falsos ao serem sonhados.
Até a vida só desejada me farta — até essa vida...

Compreendo a intervalos desconexos;
Escrevo por lapsos de cansaço;
E um tédio que é até do tédio arroja-me à praia.

Não sei que destino ou futuro compete à minha angústia sem leme;
Não sei que ilhas do Sul impossível aguardam-me náufrago;
Ou que palmares de literatura me darão ao menos um verso.

Não, não sei isto, nem outra cousa, nem cousa nenhuma...
E, no fundo do meu espírito, onde sonho o que sonhei,

LISBON REVISITED (1926)

Nothing holds me.
I want fifty things at the same time.
I long with meat-craving anxiety
For I don't know what —
Definitely something indefinite...
I sleep fitfully and live in the fitful dream-state
Of a fitful sleeper, half dreaming.

All abstract and necessary doors were closed in my face.
Curtains were drawn across every hypothesis I could have seen from the
　　　street.
I found the alley but not the number of the address I was given.

I woke up to the same life I'd fallen asleep to.
Even the armies I dreamed of were defeated.
Even my dreams felt false while I dreamed them.
Even the life I merely long for jades me — even that life...

At intermittent intervals I understand;
I write in respites from my weariness;
And a boredom bored even of itself casts me ashore.

I don't know what destiny or future belongs to my anxiety adrift on the
　　　waves;
I don't know what impossible South Sea islands await me, a castaway,
Or what palm groves of literature will grant me at least a verse.

No, I don't know this, or that, or anything else...
And in the depths of my spirit, where I dream all I've dreamed,

Nos campos últimos da alma, onde memoro sem causa
(E o passado é uma névoa natural de lágrimas falsas),
Nas estradas e atalhos das florestas longínquas
Onde supus o meu ser,
Fogem desmantelados, últimos restos
Da ilusão final,
Os meus exércitos sonhados, derrotados sem ter sido,
As minhas coortes por existir, esfaceladas em Deus.

Outra vez te revejo,
Cidade da minha infância pavorosamente perdida...
Cidade triste e alegre, outra vez sonho aqui...
Eu? Mas sou eu o mesmo que aqui vivi, e aqui voltei,
E aqui tornei a voltar, e a voltar,
E aqui de novo tornei a voltar?
Ou somos, todos os Eu que estive aqui ou estiveram,
Uma série de contas-entes ligadas por um fio-memória,
Uma série de sonhos de mim de alguém de fora de mim?

Outra vez te revejo,
Com o coração mais longínquo, a alma menos minha.

Outra vez te revejo — Lisboa e Tejo e tudo — ,
Transeunte inútil de ti e de mim,
Estrangeiro aqui como em toda a parte,
Casual na vida como na alma,
Fantasma a errar em salas de recordações,
Ao ruído dos ratos e das tábuas que rangem
No castelo maldito de ter que viver...

Outra vez te revejo,
Sombra que passa através de sombras, e brilha

In my soul's far-flung fields, where I remember for no reason
(And the past is a natural fog of false tears),
On the roads and pathways of distant forests
Where I supposed my being dwelled —
There my dreamed armies, defeated without having been,
And my nonexistent legions, annihilated in God,
All flee in disarray, the last remnants
Of the final illusion.

Once more I see you,
City of my horrifyingly lost childhood...
Happy and sad city, once more I dream here...
I? Is it one and the same I who lived here, and came back,
And came back again, and again,
And yet again have come back?
Or are we — all the I's that I was here or that were here —
A series of bead-beings joined together by a string of memory,
A series of dreams about me dreamed by someone outside me?

Once more I see you,
With a heart that's more distant, a soul that's less mine.

Once more I see you — Lisbon, the Tagus and the rest —,
A useless onlooker of you and of myself,
A foreigner here like everywhere else,
Incidental in life as in my soul,
A ghost wandering through halls of remembrances
To the sound of rats and creaking floorboards
In the accursed castle of having to live...

Once more I see you,
A shadow moving among shadows, gleaming

Um momento a uma luz fúnebre desconhecida,
E entra na noite como um rastro de barco se perde
Na água que deixa de se ouvir...

Outra vez te revejo,
Mas, ai, a mim não me revejo!
Partiu-se o espelho mágico em que me revia idêntico,
E em cada fragmento fatídico vejo só um bocado de mim —
Um bocado de ti e de mim!...

For an instant in some bleak unknown light
Before passing into the night like a ship's wake swallowed
In water whose sound fades into silence…

Once more I see you,
But, oh, I cannot see myself!
The magic mirror where I always looked the same has shattered,
And in each fateful fragment I see only a piece of me —
A piece of you and of me!

26-IV-1926

TABACARIA

Não sou nada.
Nunca serei nada.
Não posso querer ser nada.
À parte isso, tenho em mim todos os sonhos do mundo.

Janelas do meu quarto,
Do meu quarto de um dos milhões do mundo que ninguém sabe quem é
(E se soubessem quem é, o que saberiam?),
Dais para o mistério de uma rua cruzada constantemente por gente,
Para uma rua inacessível a todos os pensamentos,
Real, impossivelmente real, certa, desconhecidamente certa,
Com o mistério das coisas por baixo das pedras e dos seres,
Com a morte a pôr humidade nas paredes e cabelos brancos nos homens,
Com o Destino a conduzir a carroça de tudo pela estrada de nada.

Estou hoje vencido, como se soubesse a verdade.
Estou hoje lúcido, como se estivesse para morrer,
E não tivesse mais irmandade com as coisas
Senão uma despedida, tornando-se esta casa e este lado da rua
A fileira de carruagens de um comboio, e uma partida apitada
De dentro da minha cabeça,
E uma sacudidela dos meus nervos e um ranger de ossos na ida.

Estou hoje perplexo, como quem pensou e achou e esqueceu.
Estou hoje dividido entre a lealdade que devo
À Tabacaria do outro lado da rua, como coisa real por fora,
E à sensação de que tudo é sonho, como coisa real por dentro.

THE TOBACCO SHOP

I'm nothing.
I'll always be nothing.
I can't want to be something.
But I have in me all the dreams of the world.

Windows of my room,
The room of one of the world's millions nobody knows
(And if they knew me, what would they know?),
You open onto the mystery of a street continually crossed by people,
A street inaccessible to any and every thought,
Real, impossibly real, certain, unknowingly certain,
With the mystery of things beneath the stones and beings,
With death making the walls damp and the hair of men white,
With Destiny driving the wagon of everything down the road of nothing.

Today I'm defeated, as if I'd learned the truth.
Today I'm lucid, as if I were about to die
And had no greater kinship with things
Than to say farewell, this building and this side of the street becoming
A row of train cars, with the whistle for departure
Blowing in my head
And my nerves jolting and bones creaking as we pull out.

Today I'm bewildered, like a man who wondered and discovered and forgot.
Today I'm torn between the loyalty I owe
To the outward reality of the Tobacco Shop across the street
And to the inward reality of my feeling that everything's a dream.

Falhei em tudo.
Como não fiz propósito nenhum, talvez tudo fosse nada.
A aprendizagem que me deram,
Desci dela pela janela das traseiras da casa.
Fui até ao campo com grandes propósitos.
Mas lá encontrei só ervas e árvores,
E quando havia gente era igual à outra.
Saio da janela, sento-me numa cadeira. Em que hei-de pensar?

Que sei eu do que serei, eu que não sei o que sou?
Ser o que penso? Mas penso ser tanta coisa!
E há tantos que pensam ser a mesma coisa que não pode haver tantos!
Génio? Neste momento
Cem mil cérebros se concebem em sonho génios como eu,
E a história não marcará, quem sabe?, nem um,
Nem haverá senão estrume de tantas conquistas futuras.
Não, não creio em mim.
Em todos os manicómios há doidos malucos com tantas certezas!
Eu, que não tenho nenhuma certeza, sou mais certo ou menos certo?
Não, nem em mim...
Em quantas mansardas e não-mansardas do mundo
Não estão nesta hora génios-para-si-mesmos sonhando?
Quantas aspirações altas e nobres e lúcidas —
Sim, verdadeiramente altas e nobres e lúcidas —,
E quem sabe se realizáveis,
Nunca verão a luz do sol real nem acharão ouvidos de gente?
O mundo é para quem nasce para o conquistar
E não para quem sonha que pode conquistá-lo, ainda que tenha razão.
Tenho sonhado mais que o que Napoleão fez.
Tenho apertado ao peito hipotético mais humanidades do que Cristo.
Tenho feito filosofias em segredo que nenhum Kant escreveu.

I failed in everything.
Since I had no ambition, perhaps I failed in nothing.
Through the window at the back of the house
I climbed down the ladder of the education I was given.
I went to the country with big plans.
But all I found was grass and trees,
And when there were people they were just like others.
I step back from the window and sit in a chair. What should I think about?

How should I know what I'll be, I who don't know what I am?
Be what I think? But I think of being so many things!
And there are so many who think of being the same thing that we can't all
     be it!
Genius? At this moment
A hundred thousand brains are dreaming they're geniuses like me,
And it may be that history won't remember even one,
All of their imagined conquests amounting to so much dung.
No, I don't believe in me.
Insane asylums are full of lunatics with certainties!
Am I, who have no certainties, more right or less right?
No, not even in me...
In how many garrets and non-garrets of the world
Are self-convinced geniuses at this moment dreaming?
How many lofty and noble and lucid aspirations
— Yes, truly lofty and noble and lucid
And perhaps even attainable —
Will never see the real light of day nor find a sympathetic ear?
The world is for those born to conquer it,
Not for those who dream they can conquer it, even if they're right.
I've done more in dreams than Napoleon.
I've held more humanities against my hypothetical breast than Christ.
I've secretly invented philosophies such as Kant never wrote.

Mas sou, e talvez serei sempre, o da mansarda,
Ainda que não more nela;
Serei sempre *o que não nasceu para isso*;
Serei sempre só *o que tinha qualidades*;
Serei sempre o que esperou que lhe abrissem a porta ao pé de uma
      parede sem porta,
E cantou a cantiga do Infinito numa capoeira,
E ouviu a voz de Deus num poço tapado.
Crer em mim? Não, nem em nada.
Derrame-me a Natureza sobre a cabeça ardente
O seu sol, a sua chuva, o vento que me acha o cabelo,
E o resto que venha se vier, ou tiver que vir, ou não venha.
Escravos cardíacos das estrelas,
Conquistámos todo o mundo antes de nos levantar da cama;
Mas acordámos e ele é opaco,
Levantámo-nos e ele é alheio,
Saímos de casa e ele é a terra inteira,
Mais o sistema solar e a Via Láctea e o Indefinido.

(Come chocolates, pequena;
Come chocolates!
Olha que não há mais metafísica no mundo senão chocolates.
Olha que as religiões todas não ensinam mais que a confeitaria.
Come, pequena suja, come!
Pudesse eu comer chocolates com a mesma verdade com que comes!
Mas eu penso e, ao tirar o papel de prata, que é de folha de estanho,
Deito tudo para o chão, como tenho deitado a vida.)

Mas ao menos fica da amargura do que nunca serei
A caligrafia rápida destes versos,
Pórtico partido para o Impossível.

But I am, and perhaps will always be, the man in the garret,
Even though I don't live in one.
I'll always be *the one who wasn't born for that*;
I'll always be merely *the one who had qualities*;
I'll always be the one who waited for a door to open in a wall without
        doors
And sang the song of the Infinite in a chicken coop
And heard the voice of God in a covered well.
Believe in me? No, not in anything.
Let Nature pour over my seething head
Its sun, its rain, and the wind that finds my hair,
And let the rest come if it will or must, or let it not come.
Cardiac slaves of the stars,
We conquered the whole world before getting out of bed,
But we woke up and it's hazy,
We got up and it's alien,
We went outside and it's the entire earth
Plus the solar system and the Milky Way and the Indefinite.

(Eat your chocolates, little girl,
Eat your chocolates!
Believe me, there's no metaphysics on earth like chocolates,
And all religions put together teach no more than the candy shop.
Eat, dirty little girl, eat!
If only I could eat chocolates with the same truth as you!
But I think and, removing the silver paper that's tin foil,
I throw it all on the ground, as I've thrown out life.)

But at least, from my bitterness over what I'll never be,
There remains the hasty writing of these verses,
A broken gateway to the Impossible.

181

Mas ao menos consagro a mim mesmo um desprezo sem lágrimas,
Nobre ao menos no gesto largo com que atiro
A roupa suja que sou, sem rol, p'ra o decurso das coisas,
E fico em casa sem camisa.

(Tu, que consolas, que não existes e por isso consolas,
Ou deusa grega, concebida como estátua que fosse viva,
Ou patrícia romana, impossivelmente nobre e nefasta,
Ou princesa de trovadores, gentilíssima e colorida,
Ou marquesa do século dezoito, decotada e longínqua,
Ou cocote célebre do tempo dos nossos pais,
Ou não sei quê moderno — não concebo bem o quê —,
Tudo isso, seja o que for, que sejas, se pode inspirar que inspire!
Meu coração é um balde despejado.
Como os que invocam espíritos invocam espíritos invoco
A mim mesmo e não encontro nada.
Chego à janela e vejo a rua com uma nitidez absoluta.
Vejo as lojas, vejo os passeios, vejo os carros que passam,
Vejo os entes vivos vestidos que se cruzam,
Vejo os cães que também existem,
E tudo isto me pesa como uma condenação ao degredo,
E tudo isto é estrangeiro, como tudo.)

Vivi, estudei, amei, e até cri,
E hoje não há mendigo que eu não inveje só por não ser eu.
Olho a cada um os andrajos e as chagas e a mentira,
E penso: talvez nunca vivesses nem estudasses nem amasses nem cresses
(Porque é possível fazer a realidade de tudo isso sem fazer nada disso);
Talvez tenhas existido apenas, como um lagarto a quem cortam o rabo
E que é rabo para aquém do lagarto remexidamente.

But at least I confer on myself a contempt without tears,
Noble at least in the sweeping gesture by which I fling
The dirty laundry that's me — with no list — into the stream of things,
And I stay at home, shirtless.

(O my consoler, who doesn't exist and therefore consoles,
Be you a Greek goddess, conceived as a living statue,
Or a patrician woman of Rome, impossibly noble and dire,
Or a princess of the troubadours, all charm and grace,
Or an 18th-century marchioness, décolleté and aloof,
Or a famous courtesan from our parents' generation,
Or something modern, I can't quite imagine what —
Whatever all of this is, whatever you are, if you can inspire, then inspire me!
My heart is a poured-out bucket.
In the same way invokers of spirits invoke spirits I invoke
My own self and find nothing.
I go to the window and see the street with absolute clarity.
I see the shops, I see the sidewalks, I see the passing cars,
I see the clothed living beings who pass each other.
I see the dogs that also exist,
And all of this weighs on me like a sentence of exile,
And all of this is foreign, like everything else.)

I've lived, studied, loved, and even believed,
And today there's not a beggar I don't envy just because he isn't me.
I look at the tatters and sores and falsehood of each one,
And I think: perhaps you've never lived or studied or loved or believed
(For it's possible to do the motions of all this without doing any of it);
Perhaps you've merely existed, as when a lizard has its tail cut off
And the tail keeps on twitching, without the lizard.

Fiz de mim o que não soube,
E o que podia fazer de mim não o fiz.
O dominó que vesti era errado.
Conheceram-me logo por quem não era e não desmenti, e perdi-me.
Quando quis tirar a máscara,
Estava pegada à cara.
Quando a tirei e me vi ao espelho,
Já tinha envelhecido.
Estava bêbado, já não sabia vestir o dominó que não tinha tirado.
Deitei fora a máscara e dormi no vestiário
Como um cão tolerado pela gerência
Por ser inofensivo
E vou escrever esta história para provar que sou sublime.

Essência musical dos meus versos inúteis,
Quem me dera encontrar-te como coisa que eu fizesse,
E não ficasse sempre defronte da Tabacaria de defronte,
Calcando aos pés a consciência de estar existindo,
Como um tapete em que um bêbado tropeça
Ou um capacho que os ciganos roubaram e não valia nada.

Mas o Dono da Tabacaria chegou à porta e ficou à porta.
Olho-o com desconforto da cabeça mal voltada
E com o desconforto da alma mal-entendendo.
Ele morrerá e eu morrerei.
Ele deixará a tabuleta, eu deixarei versos.
A certa altura morrerá a tabuleta também, e os versos também.
Depois de certa altura morrerá a rua onde esteve a tabuleta,
E a língua em que foram escritos os versos.
Morrerá depois o planeta girante em que tudo isto se deu.

I made of myself what I was no good at making,
And what I could have made of myself I didn't.
I put on the wrong costume
And was immediately taken for someone I wasn't, and I said nothing and
        was lost.
When I went to take off the mask,
It was stuck to my face.
When I got it off and saw myself in the mirror,
I had already grown old.
I was drunk and no longer knew how to wear the costume that I hadn't
        taken off.
I threw out the mask and slept in the closet
Like a dog tolerated by the management
Because it's harmless,
And I'll write down this story to prove I'm sublime.

Musical essence of my useless verses,
If only I could look at you as something I had made,
Without always facing the Tobacco Shop across the street
Trampling on my consciousness of existing,
Like a rug a drunkard stumbles on
Or a doormat stolen by gypsies and it's not worth a thing.

But the Tobacco Shop Owner has come to the door and is standing there.
I look at him with the discomfort of a half-twisted neck
Compounded by the discomfort of a half-grasping soul.
He will die and I will die.
He'll leave his signboard, I'll leave my poems.
His sign will also eventually die, and so will my poems.
Eventually the street where the sign was will die,
And so will the language in which my poems were written.
Then the whirling planet where all of this happened will die.

Em outros satélites de outros sistemas qualquer coisa como gente
Continuará fazendo coisas como versos e vivendo por baixo de coisas
      como tabuletas,
Sempre uma coisa defronte da outra,
Sempre uma coisa tão inútil como a outra,
Sempre o impossível tão estúpido como o real,
Sempre o mistério do fundo tão certo como o sono de mistério da
      superfície,
Sempre isto ou sempre outra coisa ou nem uma coisa nem outra.

Mas um homem entrou na Tabacaria (para comprar tabaco?),
E a realidade plausível cai de repente em cima de mim.
Semiergo-me enérgico, convencido, humano,
E vou tencionar escrever estes versos em que digo o contrário.

Acendo um cigarro ao pensar em escrevê-los
E saboreio no cigarro a libertação de todos os pensamentos.
Sigo o fumo como a uma rota própria,
E gozo, num momento sensitivo e competente,
A libertação de todas as especulações
E a consciência de que a metafísica é uma consequência de estar mal
      disposto.

Depois deito-me para trás na cadeira
E continuo fumando.
Enquanto o Destino mo conceder, continuarei fumando.

(Se eu casasse com a filha da minha lavadeira
Talvez fosse feliz.)
Visto isto, levanto-me da cadeira. Vou à janela.

On other planets of other solar systems something like people
Will continue to make things like poems and to live under things like
      signs,
Always one thing facing the other,
Always one thing as useless as the other,
Always the impossible as stupid as reality,
Always the inner mystery as true as the mystery sleeping on the surface.
Always this thing or always that, or neither one thing nor the other.

But a man has entered the Tobacco Shop (to buy tobacco?),
And plausible reality suddenly hits me.
I half rise from my chair — energetic, convinced, human —
And will try to write these verses in which I say the opposite.

I light up a cigarette as I think about writing them,
And in that cigarette I savor a freedom from all thought.
My eyes follow the smoke as if it were my own trail
And I enjoy, for a sensitive and consummate moment,
A liberation from all speculation
And an awareness that metaphysics is a consequence of not feeling very
      well.

Then I lean back in the chair
And keep smoking.
As long as Destiny permits, I'll keep smoking.

(If I married my washwoman's daughter
Perhaps I would be happy.)
Having made this reflection, I get up from the chair. I go to the window.

O homem saiu da Tabacaria (metendo troco na algibeira das calças?).
Ah, conheço-o: é o Esteves sem metafísica.
(O Dono da Tabacaria chegou à porta.)
Como por um instinto divino o Esteves voltou-se e viu-me.
Acenou-me adeus, gritei-lhe *Adeus ó Esteves!*, e o universo
Reconstruiu-se-me sem ideal nem esperança, e o Dono da Tabacaria
    sorriu.

The man has come out of the Tobacco Shop (putting change into his
    pocket?).
Ah, I know him: it's unmetaphysical Esteves.
(The Tobacco Shop Owner has come to the door.)
As if by divine instinct, Esteves turns around and sees me.
He waves hello, I shout back "Hello, Esteves!", and the universe
Falls back into place without ideals or hopes, and the Owner of the
    Tobacco Shop smiles.

15-I-1928

Mestre, meu mestre querido!
Coração do meu corpo intelectual e inteiro!
Vida da origem da minha inspiração!
Mestre, que é feito de ti nesta forma de vida?

Não cuidaste se morrerias, se viverias, nem de ti nem de nada,
Alma abstracta e visual até aos ossos,
Atenção maravilhosa ao mundo exterior sempre múltiplo,
Refúgio das saudades de todos os deuses antigos,
Espírito humano da terra materna,
Flor acima do dilúvio da inteligência subjectiva...

Mestre, meu mestre!
Na angústia sensacionista de todos os dias sentidos,
Na mágoa quotidiana das matemáticas de ser,
Eu, escravo de tudo como um pó de todos os ventos,
Ergo as mãos para ti, que estás longe, tão longe de mim!

Meu mestre e meu guia!
A quem nenhuma coisa feriu, nem doeu, nem perturbou,
Seguro como um sol fazendo o seu dia involuntariamente,
Natural como um dia mostrando tudo,
Meu mestre, meu coração não aprendeu a tua serenidade.
Meu coração não aprendeu nada.
Meu coração não é nada,
Meu coração está perdido.

Master, my dear master!
Heart of my whole intellectual body!
Lifeblood of my inspiration!
Master, what's become of you in this form of life?

You didn't care if you died, if you lived, about yourself or about
        anything,
A soul abstract and visual to the bone,
Wondrously attentive to the endlessly multiple outer world,
A refuge for all longing after the ancient gods,
Human spirit of the maternal earth,
Flower above the flood of subjective intelligence...

Master, my master!
In the sensationist anguish of every felt day,
In the daily agony of the mathematics of being,
I, the slave of everything, like a dust blown by all winds,
Raise my hands to you, who are far, so far away from me!

My master and my guide
Whom nothing ever hurt or grieved or bothered!
As sure as a sun making its day involuntarily,
As natural as a day exposing everything to view...
Dear master, my heart never learned your serenity.
My heart learned nothing.
My heart is nothing.
My heart is lost.

Mestre, só seria como tu se tivesse sido tu.
Que triste a grande hora alegre em que primeiro te ouvi!
Depois tudo é cansaço neste mundo subjectivado,
Tudo é esforço neste mundo onde se querem coisas,
Tudo é mentira neste mundo onde se pensam coisas,
Tudo é outra coisa neste mundo onde tudo se sente.
Depois, tenho sido como um mendigo deixado ao relento
Pela indiferença de toda a vila.
Depois, tenho sido como as ervas arrancadas,
Deixadas aos molhos em alinhamentos sem sentido.
Depois, tenho sido eu, sim eu, por minha desgraça,
E eu, por minha desgraça, não sou eu nem outro nem ninguém.
Depois, mas por que é que ensinaste a clareza da vista,
Se não me podias ensinar a ter a alma com que a ver clara?
Por que é que me chamaste para o alto dos montes
Se eu, criança das cidades do vale, não sabia respirar?
Por que é que me deste a tua alma se eu não sabia que fazer dela,
Como quem está carregado de ouro num deserto,
Ou canta com voz divina entre ruínas?
Por que é que me acordaste para a sensação e a nova alma,
Se eu não saberei sentir, se a minha alma é de sempre a minha?

Prouvera ao Deus ignoto que eu ficasse sempre aquele
Poeta decadente, estupidamente pretensioso,
Que poderia ao menos vir a agradar,
E não surgisse em mim a pavorosa ciência de ver.
Para que me tornaste eu? Deixasses-me ser humano!

Feliz o homem marçano,
Que tem a sua tarefa quotidiana normal, tão leve ainda que pesada,
Que tem a sua vida usual,

Master, I would only be like you if I were you.
How sad that great joyful hour when I first heard you!
Since then all has been weariness in this subjectivized world,
All has been effort in this world where things are sought,
All has been falsehood in this world where things are thought,
All has been something else in this world where all is felt.
Since then I've been like a beggar left out in the cold
By the town's general indifference.
Since then I've been like pulled weeds
Left in piles forming meaningless rows.
Since then I've been I, most unfortunately I,
And I, unfortunately, am not I nor another nor anyone.
Since then — but why did you teach clear vision
If you couldn't teach me to have a soul that sees clearly?
Why did you summon me to the hilltops
Where I, a child of cities in the valley, didn't know how to breathe?
Why did you give me your soul when I didn't know what to do with it,
Like someone loaded down with gold in a desert,
Or someone with a divine voice that sings among ruins?
Why did you awaken me to sensations and a new soul
If I didn't know how to feel, if my soul is still and always my soul?

If only the unknown God had let me keep being that
Stupidly pretentious, decadent poet
Who at least might one day have pleased somebody
Instead of letting this horrid science of seeing take root in me.
Why did you make me what I am? If only you'd left me alone and
        human!

Happy the shop clerk
Who has his daily duties that are light even if heavy,
Who has his routine life,

Para quem o prazer é prazer e o recreio é recreio,
Que dorme sono,
Que come comida,
Que bebe bebida, e por isso tem alegria.

A calma que tinhas, deste-ma, e foi-me inquietação.
Libertaste-me, mas o destino humano é ser escravo.
Acordaste-me, mas o sentido de ser humano é dormir.

Who takes pleasure in his pleasures and relaxes when he relaxes,
Who sleeps when he sleeps,
Eats what he eats,
Drinks his drink, and is therefore happy.

You gave me your calm, but in me it was disquietude.
You freed me, but man's destiny is to be a slave.
You awakened me, but to be human means to sleep.

15-IV-1928

Ah, abram-me outra realidade!
Quero ter, como Blake, a contiguidade dos anjos
E ter visões por almoço.
Quero encontrar as fadas na rua!
Quero desimaginar-me deste mundo feito com garras,
Desta civilização feita com pregos.
Quero viver, como uma bandeira à brisa,
Símbolo de qualquer coisa no alto de uma coisa qualquer!

Depois encerrem-me onde queiram.
Meu coração verdadeiro continuará velando,
Pano brasonado a esfinges,
No alto do mastro das visões
Aos quatro ventos do Mistério.
O Norte — o que todos querem
O Sul — o que todos desejam
O Este — de onde tudo vem
O Oeste — aonde tudo finda
— Os quatro ventos do místico ar da civilização
— Os quatro modos de não ter razão, e de entender o mundo.

Ah, open my eyes to another reality!
I want to feel, like Blake, the angels all around me
And to have visions for lunch.
I want to meet fairies in the street!
I want to forget I'm of this world made with claws,
This civilization made with nails.
I want to live like a flag in the breeze,
A symbol of whatever on top of wherever!

Then you can lock me up where you like.
My true heart will continue to keep watch
From atop the flagpole of visions,
A cloth emblazoned with sphinxes
Flapping in the four winds of Mystery:
The North — what everyone wants,
The South — what everyone desires,
The East — where everything comes from,
The West — where everything ends.
The four winds of civilization's mystical air...
The four ways of not knowing, and of understanding the world...

4-IV-1929

Ah a frescura na face de não cumprir um dever!
Faltar é positivamente estar no campo!
Que refúgio o não se poder ter confiança em nós!
Respiro melhor agora que passaram as horas dos encontros.
Faltei a todos, com uma deliberação do desleixo,
Fiquei esperando a vontade de ir para lá, que eu saberia que não vinha.
Sou livre, contra a sociedade organizada e vestida.
Estou nu, e mergulho na água da minha imaginação.
É tarde para eu estar em qualquer dos dois pontos onde estaria à mesma
        hora,
Deliberadamente à mesma hora…
Está bem, ficarei aqui sonhando versos e sorrindo em itálico.
É tão engraçada esta parte assistente da vida!
Até não consigo acender o cigarro seguinte… Se é um gesto,
Fique com os outros, que me esperam, no desencontro que é a vida.

Ah, the freshness in the face of leaving a task undone!
To be remiss is to be positively out in the country!
What a refuge it is to be completely unreliable!
I can breathe easier now that the appointments are behind me.
I missed them all, through deliberate negligence,
Having waited for the urge to go, which I knew wouldn't come.
I'm free, and against organized, clothed society.
I'm naked and plunge into the water of my imagination.
It's too late to be at either of the two meetings where I should have been
        at the same time,
Deliberately at the same time...
No matter, I'll stay here dreaming verses and smiling in italics.
This spectator aspect of life is so amusing!
I can't even light the next cigarette... If it's an action,
It can wait for me, along with the others, in the nonmeeting called life.

17-VI-1929

Hoje que tudo me falta, como se fosse o chão,
Que me conheço atrozmente, que toda a literatura
Que uso de mim para mim, para ter consciência de mim,
Caiu, como o papel que embrulhou um rebuçado mau —
Hoje tenho uma alma parecida com a morte dos nervos —
Necrose da alma,
Apodrecimento dos sentidos.
Tudo quanto tenho feito, conheço-o claramente: é nada.
Tudo quanto sonhei, podia tê-lo sonhado o moço de fretes.
Tudo quanto amei, se hoje me lembro que o amei, morreu há muito.
Ó Paraíso Perdido da minha infância burguesa,
Meu Éden agasalhando o chá nocturno,
Minha colcha de croché de menino!
O Destino acabou-me como a um manuscrito interrompido.
Nem altos nem baixos — consciência de nem sequer a ter…
Papelotes da velha solteira — toda a minha vida.
Tenho uma náusea do estômago nos pulmões.
Custa-me a respirar para sustentar a alma.
Tenho uma quantidade de doenças tristes nas juntas da vontade.
Minha grinalda de poeta — eras de flores de papel,
A tua imortalidade presumida era o não teres vida.
Minha coroa de louros de poeta — sonhada petrarquicamente,
Sem capotinho mas com fama,
Sem dados mas com Deus —
Tabuleta de vinho falsificado na última taberna da esquina!

Today it's as if the ground had given way beneath me.
Today I brutally see myself. Today all the literature
About me that I depend on to be conscious of who I am
Has fallen away, like the paper wrapper of a cheap candy.
Today I have a soul that seems the death of my nerves,
A gangrene of the soul,
Putrefaction of the senses.
Everything I've done stands out clearly enough: it's nothing.
Everything I've dreamed could have been dreamed by the delivery boy.
Everything I've loved, though I remember it today, died long ago.
O Paradise Lost of my bourgeois childhood!
My Eden with tea every evening!
The crocheted bedspread I had as a boy!
Destiny abandoned me like a half-written manuscript.
No highs or lows, just my consciousness of being unconscious...
Curlpapers of an old spinster — my entire life.
I'm sick to my stomach in my lungs.
I can hardly get enough breath to keep my soul going.
A slew of sad ailments afflicts the joints of my will.
My poet's wreath was made of paper flowers:
Its ostensible immortality was its not having any life.
My poet's crown of laurels — Petrarchanly dreamed,
Without a cape but with fame,
Without dice but with God —
A signboard for tainted wine at the dingiest corner bar!

9-III-1930

TRAPO

O dia deu em chuvoso.
A manhã, contudo, esteve bastante azul.
O dia deu em chuvoso.
Desde manhã eu estava um pouco triste.
Antecipação? tristeza? coisa nenhuma?
Não sei: já ao acordar estava triste.
O dia deu em chuvoso.

Bem sei: a penumbra da chuva é elegante.
Bem sei: o sol oprime, por ser tão ordinário, um elegante.
Bem sei: ser susceptível às mudanças de luz não é elegante.
Mas quem disse ao sol ou aos outros que eu quero ser elegante?
Dêem-me o céu azul e o sol visível.
Névoa, chuvas, escuros — isso tenho eu em mim.
Hoje quero só sossego.
Até amaria o lar, desde que o não tivesse.
Chego a ter sono de vontade de ter sossego.
Não exageremos!
Tenho efectivamente sono, sem explicação.
O dia deu em chuvoso.

Carinhos? afectos? São memórias…
É preciso ser-se criança para os ter…
Minha madrugada perdida, meu céu azul verdadeiro!
O dia deu em chuvoso.

Boca bonita da filha do caseiro,
Polpa de fruta de um coração por comer…

202

WET RAG

It ended up being a rainy day.
But it was quite blue this morning.
It ended up being a rainy day.
I've been a little sad since this morning.
Apprehension? Sadness? Nothing?
I don't know: I woke up sad.
It ended up being a rainy day.

Yes, I know that the rain's mistiness is elegant.
I know that the sun, so ordinary, oppresses an elegant sensibility.
I know that to be affected by changes in light isn't elegant.
But who said to the sun or to anyone else that I want to be elegant?
Give me blue sky and the sun in plain view.
I have mist, rain and shadows inside me.
Today all I want is peacefulness.
I'd even love a cozy home, as long as I didn't really have it.
I long so much for peace it makes me sleepy.
Let's not exaggerate!
I really am sleepy, inexplicably so.
It ended up being a rainy day.

Tenderness? Affection? Only children can have them…
For me they're memories…
My lost dawn, my genuine blue sky!
It ended up being a rainy day.

Lovely lips of the farmer's daughter,
Luscious fruit of a heart ripe for eating…

Quando foi isso? Não sei...
No azul da manhã...

O dia deu em chuvoso.

When was this? I don't know.
In this morning's blueness...

It ended up being a rainy day.

10-IX-1930

E o esplendor dos mapas, caminho abstracto para a imaginação concreta,
Letras e riscos irregulares abrindo para a maravilha.

O que de sonho jaz nas encadernações vetustas,
Nas assinaturas complicadas (ou tão simples e esguias) dos velhos livros.
(Tinta remota e desbotada aqui presente para além da morte,
Ó enigma visível do tempo, o nada vivo em que estamos!)
O que de negado à nossa vida quotidiana vem nas ilustrações,
O que certas gravuras de anúncios sem querer anunciam.

Tudo quanto sugere, ou exprime o que não exprime,
Tudo o que diz o que não diz,
E a alma sonha, diferente e distraída.

And the magnificence of maps, abstract path to the concrete imagination,
Letters and jagged lines leading to the marvelous...

The dreams that lurk in ancient bindings,
In the intricate (or elegantly simple) signatures of old books.
(Remote and faded ink that lives on, beyond death,
O visible riddle of time, this living nothing where we endure!)
The things engravings give us that we can't have in real life,
The things illustrated advertisements unintentionally advert us to.

Everything that suggests, or expresses what it doesn't express,
Everything that says what it doesn't say,
Making the soul dream, different and distracted.

14-I-1933

MAGNIFICAT

Quando é que passará esta noite interna, o universo,
E eu, a minha alma, terei o meu dia?
Quando é que despertarei de estar acordado?
Não sei. O sol brilha alto,
Impossível de fitar.
As estrelas pestanejam frio,
Impossíveis de contar.
O coração pulsa alheio,
Impossível de escutar.
Quando é que passará este drama sem teatro,
Ou este teatro sem drama,
E recolherei a casa?
Onde? Como? Quando?
Gato que me fitas com olhos de vida, Quem tens lá no fundo?
É Esse! É esse!
Esse mandará como Josué parar o sol e eu acordarei;
E então será dia.
Sorri, dormindo, minha alma!
Sorri, minha alma: será dia!

MAGNIFICAT

When will this inner night — the universe — end
And I — my soul — have my day?
When will I wake up from being awake?
I don't know. The sun shines on high
And cannot be looked at.
The stars coldly blink
And cannot be counted.
The heart beats aloofly
And cannot be heard.
When will this drama without theater
— Or this theater without drama — end
So that I can go home?
Where? How? When?
O cat staring at me with eyes of life, Who lurks in your depths?
It's Him! It's him!
Like Joshua he'll order the sun to stop, and I'll wake up,
And it will be day.
Smile, my soul, in your slumber!
Smile, my soul: it will be day!

7-XI-1933

… Como, nos dias de grandes acontecimentos no centro da cidade,
Nos bairros quase-excêntricos as conversas em silêncio às portas —
A expectativa em grupos…
Ninguém sabe nada.
Leve rastro de brisa…
Coisa nenhuma que é real
E que, com um afago ou um sopro,
Toca o que há até que seja…
Magnificência da naturalidade…
Coração…

Que Áfricas inéditas em cada desejo!
Que melhores cousas que tudo lá longe!

Meu cotovelo toca no da vizinha do eléctrico
Com uma involuntariedade fruste,
Curto-circuito da proximidade…
Ideias ao acaso
Como um balde que se entornou —
Fito-o: é um balde entornado…
Jaz: jazo…

… Like on the days of great events in the center of town,
With hushed talk in the doorways of the surrounding quarters,
People huddled in expectation...
No one knows a thing.
The hint of a breeze —
A nothingness that's real,
Like a breath or a caress,
Touching what's there until it exists…
The magnificence of what's natural...
The heart...

The unknown Africas lurking in each desire!
Great things that no Faraway can offer!

With an inadvertent jerk my elbow
Hits the elbow of the lady sitting next to me:
A short circuit from close contact in the streetcar...
Ideas going this way and that,
As when a bucket's overturned.

I look at it: it's an overturned bucket.
Here it lies: here lies me.

16-VIII-1934

Símbolos? Estou farto de símbolos…
Uns dizem-me que tudo é símbolo.
Todos me dizem nada.

Quais símbolos! Sonhos…
Que o sol seja um símbolo, está bem…
Que a lua seja um símbolo, está bem…
Que a terra seja um símbolo, está bem…
Mas quem repara no sol senão quando a chuva cessa
E ele rompe das nuvens e aponta para trás das costas
Para o azul do céu?
Mas quem repara na lua senão para achar
Bela a luz que ela espalha, e não bem ela?
Mas quem repara na terra, que é o que pisa?
Chama terra aos campos, às árvores, aos montes
Por uma diminuição instintiva,
Porque o mar também é terra…

Bem, vá, que tudo isso seja símbolos…
Mas que símbolo é, não o sol, não a lua, não a terra,
Mas neste poente precoce e azulando-se menos,
O sol entre farrapos findos de nuvens,
Enquanto a lua é já vista, mística, no outro lado,
E o que fica da luz do dia
Doira a cabeça da costureira que pára vagamente à esquina
Onde se demorava outrora (mora perto) com o namorado que a deixou?
Símbolos?… Não quero símbolos…
Queria só — pobre figura de magreza e desamparo! —
Que o namorado voltasse para a costureira.

Symbols? I'm sick of symbols…
Some people tell me that everything is symbols.
They're telling me nothing.

What symbols! Dreams…
Let the sun be a symbol, fine…
Let the moon be a symbol, fine…
Let the earth be a symbol, fine…
But who notices the sun except when the rain stops
And it breaks through the clouds and points behind its back
To the blue of the sky?
And who notices the moon except to admire
Not it but the beautiful light it radiates?
And who notices the very earth we tread?
We say earth and think of fields, trees and hills,
Unwittingly diminishing it,
For the sea is also earth.

Okay, let all of this be symbols.
But what's the symbol — not the sun, not the moon, not the earth —
In this premature sunset amidst the fading blue
With the sun caught in expiring tatters of clouds
And the moon already mystically present at the other end of the sky
As the last remnant of daylight
Gilds the head of the seamstress who hesitates at the corner
Where she used to linger (she lives nearby) with the boyfriend who left her?
Symbols? I don't want symbols.
All I want — poor frail and forlorn creature! —
Is for the boyfriend to go back to the seamstress.

18-XII-1934

Os antigos invocavam as Musas.
Nós invocamo-nos a nós mesmos.
Não sei se as Musas apareciam —
Seria sem dúvida conforme o invocador e a invocação —
Mas sei que nós não aparecemos.

Quantas vezes me tenho debruçado
Sobre o poço que me suponho
E balido «Uh!» p'ra ouvir um eco,
E não tenho ouvido mais que o visto —
O vago alvor escuro com que a água resplandece
Lá na inutilidade do fundo.
Nenhum eco para mim…
Só vagamente uma cara, que deve ser a minha porque não pode ser de
          outro,
É uma coisa quase invisível,
Excepto como luminosamente surja
Lá no fundo…
No silêncio e na luz falsa do fundo…

Que Musa! …

The ancients invoked the Muses.
We invoke ourselves.
I don't know if the Muses appeared
— No doubt it depended on the invoker and the invocation —
But I know that we don't appear.

How often I've leaned over
The well which is me
And bleated "Hey!" to hear an echo,
And I've heard no more than I've seen —
The faint dark glimmer of the water
There in the useless depths.
No echo for me...
Just the hint of a face, which must be mine since it can't be anyone else's,
Something almost invisible
Except as it luminously looms
There in the depths...
In the silence and deceptive light of the depths...

What a Muse!

3-I-1935

Não sei se os astros mandam neste mundo,
Nem se as cartas —
As de jogar ou as do Tarot —
Podem revelar qualquer coisa.

Não sei se deitando dados
Se chega a qualquer conclusão.

Mas também não sei
Se vivendo como o comum dos homens
Se atinge qualquer coisa.

Sim, não sei
Se hei-de acreditar neste sol de todos os dias,
Cuja autenticidade ninguém me garante,
Ou se não será melhor, por melhor ou por mais cómodo,
Acreditar em qualquer outro sol —
Outro que ilumine até de noite,
Qualquer profundidade luminosa das coisas
De que não percebo nada…

Por enquanto…
(Vamos devagar)
Por enquanto
Tenho o corrimão da escada absolutamente seguro,
Seguro com a mão —
O corrimão que me não pertence

I don't know if the stars rule the world
Or if Tarot or playing cards
Can reveal anything.

I don't know if the rolling of dice
Can lead to any conclusion.

But I also don't know
If anything is attained
By living the way most people do.

Yes, I don't know
If I should believe in this daily rising sun
Whose authenticity no one can guarantee me,
Or if it would be better (because better or more convenient)
To believe in some other sun,
One that shines even at night,
Some profound incandescence of things,
Surpassing my understanding.

For now...
(Let's take it slow)
For now
I have an absolutely secure grip on the stair-rail,
I secure it with my hand —
This rail that doesn't belong to me

E apoiado ao qual ascendo…
Sim… Ascendo…
Ascendo até isto:
Não sei se os astros mandam neste mundo…

And that I lean on as I ascend...
Yes... I ascend...
I ascend to this:
I don't know if the stars rule the world.

5-I-1935

Ver as cousas até ao fundo...
E se as cousas não tiverem fundo?

Ah, que bela a superfície!
Talvez a superfície seja a essência
E o mais que a superfície seja o mais que tudo
E o mais que tudo não é nada.

Ó face do mundo, só tu, de todas as faces,
És a própria alma que reflectes.

To see into the depths of things…
And if things have no depth?

Ah, how beautiful the surface is!
Perhaps the surface is the essence,
And what's beyond the surface is what's beyond everything,
And what's beyond everything is nothing.

O face of the world, you alone of all faces
Are the selfsame soul you reflect.

DOBRADA À MODA DO PORTO

Um dia, num restaurante, fora do espaço e do tempo,
Serviram-me o amor como dobrada fria.
Disse delicadamente ao missionário da cozinha
Que a preferia quente,
Que a dobrada (e era à moda do Porto) nunca se come fria.

Impacientaram-se comigo.
Nunca se pode ter razão, nem num restaurante.
Não comi, não pedi outra coisa, paguei a conta,
E vim passear para toda a rua.

Quem sabe o que isto quer dizer?
Eu não sei, e foi comigo…

(Sei muito bem que na infância de toda a gente houve um jardim,
Particular ou público, ou do vizinho.
Sei muito bem que brincarmos era o dono dele.
E que a tristeza é de hoje.)

Sei isso muitas vezes,
Mas, se eu pedi amor, por que é que me trouxeram
Dobrada à moda do Porto fria?
Não é prato que se possa comer frio,
Mas trouxeram-mo frio.
Não me queixei, mas estava frio,
Nunca se pode comer frio, mas veio frio.

OPORTO-STYLE TRIPE

One day, in a restaurant, outside of space and time,
I was served up love as a dish of cold tripe.
I politely told the missionary of the kitchen
That I preferred it hot,
Because tripe (and it was Oporto-style) is never eaten cold.

They got impatient with me.
You can never be right, not even in a restaurant.
I didn't eat it, I ordered nothing else, I paid the bill,
And I decided to take a walk down the street.

Who knows what this means?
I don't know, and it happened to me...

(I know very well that in everyone's childhood there was a garden,
Private or public, or belonging to the neighbor.
I know very well that our playing was the owner of it
And that sadness belongs to today.)

I know this many times over,
But if I asked for love, why did they bring me
Oporto-style tripe that was cold?
It's not a dish that can be eaten cold,
But they served it to me cold.
I didn't make a fuss, but it was cold.
It can never be eaten cold, but it came cold.

Gostava de gostar de gostar.
Um momento… Dá-me de ali um cigarro,
Do maço em cima da mesa-de-cabeceira.
Continua… Dizias
Que no desenvolvimento da metafísica
De Kant a Hegel
Alguma coisa se perdeu.
Concordo em absoluto.
Estive realmente a ouvir.
Nondum amabam et amare amabam (Santo Agostinho).
Que coisa curiosa estas associações de ideias!
Estou fatigado de estar pensando em sentir outra coisa.
Obrigado. Deixa-me acender. Continua. Hegel…

I'd like to be able to like liking.
Just a second… Grab me a cigarette
From that pack lying on top of the nightstand.
Go on… You were saying
That in the development of metaphysics
From Kant to Hegel
Something was lost.
I agree entirely.
I really was listening.
Nondum amabam et amare amabam (St. Augustine).
What odd associations of ideas we sometimes have!
I'm tired of thinking about feeling anything else.
Thanks. Excuse me while I light up. Go on. Hegel…

Ah o som de abanar o ferro da engomadeira
À janela ao lado da minha infância debruçada!
O som de estarem lavando a roupa no tanque!
Todas estas coisas são, de qualquer modo,
Parte do que sou.
(Ó ama morta, que é do teu carinho grisalho?)
Minha infância da altura da cara pouco acima da mesa...
Minha mão gordinha pousada na borda da toalha que se enrodilhava.
E eu olhava por cima do prato, nas pontas dos pés.
(Hoje se me puser nas pontas dos pés, é só intelectualmente.
E a mesa que tenho não tem toalha, nem quem lhe ponha toalha...)
Estudei a gramática da falência
Na demonologia da imaginação...

Ah the sound of the maid's iron passing back and forth
At the window next to where my childhood leaned out!
The sound of laundry being washed in the tank!
All these things are, in some way or other,
Part of what I am.
(O dead nanny, what's become of your gray-haired affection?)
My childhood barely poking its head over the table...
My chubby hand on the edge of the tablecloth that curled...
And I'd stand on tiptoe to see across my plate.
Today it's only intellectually that I'm ever on tiptoe.
And my table has no tablecloth, and nobody to put one on it.
I've studied the grammar of failure
In the demonology of the imagination.

Começo a conhecer-me. Não existo.
Sou o intervalo entre o que desejo ser e os outros me fizeram,
Ou metade desse intervalo, porque também há vida...
Sou isso, enfim...
Apague a luz, feche a porta e deixe de ter barulhos de chinelos no corredor.
Fique eu no quarto só com o grande sossego de mim mesmo.
É um universo barato.

I'm beginning to know myself. I don't exist.
I'm the gap between what I'd like to be and what others have made me,
Or half of this gap, since there's also life…
That's me. Period.
Turn off the light, shut the door, and quit that slipper noise in the hallway.
Leave me alone in my room with the vast peace of myself.
It's a shoddy universe.

Fernando Pessoa (himself)

Even more curious is the case of Fernando Pessoa, who doesn't exist, strictly speaking. He met Caeiro a little before I did — on March 8th, 1914, according to what he told me. Caeiro had come to spend a week in Lisbon, and it was then that Pessoa met him. After hearing him recite The Keeper of Sheep, *he went home in a fever (the one he was born with) and wrote the six poems of "Slanting Rain" in one go.*

"Slanting Rain" doesn't resemble any of my master Caeiro's poems, except perhaps in the rectilinear movement of its rhythm. But Fernando Pessoa would never have been able to extract those extraordinary poems from his inner world without having met Caeiro. They were a direct result of the spiritual shock he experienced mere moments after that meeting occurred. It was instantaneous. Because of his overwrought sensibility, accompanied by an overwrought intelligence, Fernando reacted immediately to the Great Vaccine — the vaccine against the stupidity of the intelligent. And there is nothing more admirable in the work of Fernando Pessoa than this group of six poems, this "Slanting Rain." Perhaps there are, or will be, greater things produced by his pen, but never anything fresher, never anything more original, and so I rather doubt there will ever be anything greater. Not only that, he will never produce anything that's more genuinely Fernando Pessoa, more intimately Fernando Pessoa. What could better express his relentlessly intellectualized sensibility, his inattentively keen attention and the ardent subtlety of his cold self-analysis than these poetic intersections in which the narrator's state of mind is simultaneously two states, in which the subjective and objective join together while remaining separate, and in which the real and the unreal merge in order to remain distinct? In these poems Fernando Pessoa made a veritable photograph of his soul. In that one, unique moment he succeeded in having his own individuality, such as he had never had before and can never have again, because he has no individuality.

(from Álvaro de Campos's *Notes for the Memory of my Master Caeiro*)

What I am essentially — behind the involuntary masks of poet, logical reasoner and so forth — is a dramatist. My spontaneous tendency to depersonalization, which I mentioned in my last letter to explain the existence of my heteronyms, naturally leads to this definition. And so I do not evolve, I simply JOURNEY. (…) I continuously change personality, I keep enlarging (and here there is a kind of evolution) my capacity to create new characters, new forms of pretending that I understand the world or, more accurately, that the world can be understood.

(from a letter of Pessoa dated 20 January 1935)

Ó sino da minha aldeia,
Dolente na tarde calma,
Cada tua badalada
Soa dentro da minha alma.

E é tão lento o teu soar,
Tão como triste da vida,
Que já a primeira pancada
Tem o som de repetida.

Por mais que me tanjas perto,
Quando passo, sempre errante,
És para mim como um sonho,
Soas-me na alma distante.

A cada pancada tua,
Vibrante no céu aberto,
Sinto mais longe o passado,
Sinto a saudade mais perto.

O church bell of my village,
Each of your plaintive tolls
Filling the calm evening
Rings inside my soul.

And your ringing is so slow,
So as if life made you sad,
That already your first clang
Seems like a repeated sound.

However closely you touch me
When I pass by, always drifting,
You are to me like a dream —
In my soul your ringing is distant.

With every clang you make,
Resounding across the sky,
I feel the past farther away,
I feel nostalgia close by.

8-IV-1911

ABDICAÇÃO

Toma-me, ó noite eterna, nos teus braços
E chama-me teu filho.
                      Eu sou um rei
Que voluntariamente abandonei
O meu trono de sonhos e cansaços.

Minha espada, pesada a braços lassos,
Em mãos viris e calmas entreguei;
E meu ceptro e coroa — eu os deixei
Na antecâmara, feitos em pedaços.

Minha cota de malha, tão inútil,
Minhas esporas, de um tinir tão fútil,
Deixei-as pela fria escadaria.

Despi a realeza, corpo e alma,
E regressei à noite antiga e calma
Como a paisagem ao morrer do dia.

ABDICATION

O night eternal, call me your son
And take me into your arms.
                                    I'm a king
Who relinquished, willingly,
My throne of dreams and tedium.

My sword, which dragged my weak arms down,
I surrendered to strong and steady hands,
And in the anteroom I abandoned
My shattered scepter and crown.

My spurs that jingled to no avail
And my useless coat of mail
I left on the cold stone steps.

I took off royalty, body and soul,
And returned to the night so calm, so old,
Like the landscape when the sun sets.

[January of 1913]

CHUVA OBLÍQUA

I

Atravessa esta paisagem o meu sonho dum porto infinito
E a cor das flores é transparente de as velas de grandes navios
Que largam do cais arrastando nas águas por sombra
Os vultos ao sol daquelas árvores antigas...

O porto que sonho é sombrio e pálido
E esta paisagem é cheia de sol deste lado...
Mas no meu espírito o sol deste dia é porto sombrio
E os navios que saem do porto são estas árvores ao sol...

Liberto em duplo, abandonei-me da paisagem abaixo...
O vulto do cais é a estrada nítida e calma
Que se levanta e se ergue como um muro,
E os navios passam por dentro dos troncos das árvores
Com uma horizontalidade vertical,
E deixam cair amarras na água pelas folhas uma a uma dentro...

Não sei quem me sonho...
Súbito toda a água do mar do porto é transparente
E vejo no fundo, como uma estampa enorme que lá estivesse desdobrada,
Esta paisagem toda, renque de árvores, estrada a arder em aquele porto,
E a sombra duma nau mais antiga que o porto que passa
Entre o meu sonho do porto e o meu ver esta paisagem
E chega ao pé de mim, e entra por mim dentro,
E passa para o outro lado da minha alma...

SLANTING RAIN

I

My dream of an infinite port crosses this landscape
And the flowers' color is transparent to the sails of large ships
Casting off from the wharf, dragging the silhouettes of these old
Sunlit trees as their shadows over the waters...

The port I dream of is somber and pallid,
And the landscape is sunny viewed from this side...
But in my mind today's sun is a somber port
And the ships leaving the port are these sunlit trees...

Freed into two, I slid straight down the landscape...
The substance of the wharf is the clear and calm road
That rises, going up like a wall,
And the ships pass through the trunks of the trees
In a vertically horizontal fashion,
Dropping their lines in the water through the leaves one by one...

I don't know who I dream I am....
Suddenly all the seawater in the port is transparent
And I see on the bottom, like a huge print unrolled across it,
This entire landscape, a row of trees, a road glowing in that port,
And the shadow of a sailing ship older than the port and passing
Between my dream of the port and my looking at this landscape,
And it approaches me, enters me,
And passes to the other side of my soul...

II

Ilumina-se a igreja por dentro da chuva deste dia,
E cada vela que se acende é mais chuva a bater na vidraça...

Alegra-me ouvir a chuva porque ela é o templo estar aceso,
E as vidraças da igreja vistas de fora são o som da chuva ouvido por dentro...

O esplendor do altar-mor é o eu não poder quase ver os montes
Através da chuva que é ouro tão solene na toalha do altar...
Soa o canto do coro, latino e vento a sacudir-me a vidraça
E sente-se chiar a água no facto de haver coro...

A missa é um automóvel que passa
Através dos fiéis que se ajoelham em hoje ser um dia triste...
Súbito vento sacode em esplendor maior
A festa da catedral e o ruído da chuva absorve tudo
Até só se ouvir a voz do padre água perder-se ao longe
Com o som de rodas de automóvel...

E apagam-se as luzes da igreja
Na chuva que cessa...

III

A Grande Esfinge do Egipto sonha por este papel dentro...
Escrevo — e ela aparece-me através da minha mão transparente
E ao canto do papel erguem-se as pirâmides...

II

The church lights up inside today's rain,
And each candle that's lit is more rain hitting the window...

Hearing the rain cheers me, for it's the temple all aglow,
And the church windows seen from outside are the sound of the rain
    heard from inside...

The splendor of the high altar is my almost not being able to see the hills
Through the rain, which is solemn gold gracing the altar cloth...
The choir's chant Latinly resounds, the wind makes the window rattle in
        my ear
And I sense the water hissing in the fact a choir exists...

The Mass is an automobile passing
Amid the faithful who kneel on today being a sad day...
A sudden wind rocks with greater splendor
The feast of the cathedral, and the rain's sound absorbs everything
Until all that's heard is the priest's voice water vanishing in the distance
With the sound of automobile wheels...

And the church lights go out
In the rain that's ending...

III

The Great Sphinx of Egypt dreams inside this sheet of paper...
I write — and she appears to me through my transparent hand
And the pyramids rise up in a corner of the paper...

Escrevo — perturbo-me de ver o bico da minha pena
Ser o perfil do rei Quéops...
De repente paro...
Escureceu tudo... Caio por um abismo feito de tempo...
Estou soterrado sob as pirâmides a escrever versos à luz clara deste candeeiro
E todo o Egipto me esmaga de alto através dos traços que faço com a pena...
Ouço a Esfinge rir por dentro
O som da minha pena a correr no papel...
Atravessa o eu não poder vê-la uma mão enorme,
Varre tudo para o canto do tecto que fica por detrás de mim,
E sobre o papel onde escrevo, entre ele e a pena que escreve
Jaz o cadáver do rei Quéops, olhando-me com olhos muito abertos,
E entre os nossos olhares que se cruzam corre o Nilo
E uma alegria de barcos embandeirados erra
Numa diagonal difusa
Entre mim e o que eu penso...

Funerais do rei Quéops em ouro velho e Mim!...

IV

Que pandeiretas o silêncio deste quarto!...
As paredes estão na Andaluzia...
Há danças sensuais no brilho fixo da luz...

De repente todo o espaço pára...,
Pára, escorrega, desembrulha-se...,
E num canto do tecto, muito mais longe do que ele está,

I write — and I'm startled to see that the nib of my pen
Is the profile of King Cheops...
I freeze...
Everything goes dark... I fall into an abyss made of time...
I'm buried under the pyramids writing verses by the bright light of this
        lamp
And the whole of Egypt presses down on me through the strokes I make
        with my pen...
I hear the Sphinx laughing to herself
The sound of my pen running over the paper...
An enormous hand, passing through my not being able to see her,
Sweeps everything into the corner of the ceiling that's behind me,
And on the paper where I write, between it and the pen that's writing,
Lies the corpse of King Cheops, looking at me with wide-open eyes,
And between our gazing at each other flows the Nile,
And a gaiety of flag-bedecked ships meanders
In a hazy diagonal line
Between me and what I'm thinking...

Funeral of King Cheops in old gold and Me!...

IV

The tambourine silence of this room!...
The walls are in Andalusia...
There are sensual dances in the light's steady glow...

Suddenly everything freezes...,
Freezes, slides, unfolds...,
And in a corner of the ceiling, but much farther than the corner,

Abrem mãos brancas janelas secretas
E há ramos de violetas caindo
De haver uma noite de primavera lá fora
Sobre o eu estar de olhos fechados...

V

Lá fora vai um redemoinho de sol os cavalos do carroussel...
Árvores, pedras, montes, bailam parados dentro de mim...
Noite absoluta na feira iluminada, luar no dia de sol lá fora,
E as luzes todas da feira fazem ruído dos muros do quintal...
Ranchos de raparigas de bilha à cabeça
Que passam lá fora, cheias de estar sob o sol,
Cruzam-se com grandes grupos peganhentos de gente que anda na feira,
Gente toda misturada com as luzes das barracas, com a noite e com o
          luar,
E os dois grupos encontram-se e penetram-se
Até formarem só um que é os dois...
A feira e as luzes da feira e a gente que anda na feira,
E a noite que pega na feira e a levanta no ar,
Andam por cima das copas das árvores cheias de sol,
Andam visivelmente por baixo dos penedos que luzem ao sol,
Aparecem do outro lado das bilhas que as raparigas levam à cabeça,
E toda esta paisagem de primavera é a lua sobre a feira,
E toda a feira com ruídos e luzes é o chão deste dia de sol...

De repente alguém sacode esta hora dupla como numa peneira
E, misturado, o pó das duas realidades cai
Sobre as minhas mãos cheias de desenhos de portos
Com grandes naus que se vão e não pensam em voltar...

White hands open secret windows,
And since it's a spring night outside
Bunches of violets are falling
Over my eyes being closed...

V

Outside a whirlwind of sun the horses of the merry-go-round...
Within me a static dance of trees, stones and hills...
Absolute night in the brightly lit fair, moonlight on the sunny day outside,
And the fair's many lights make noises out of the garden walls...
Groups of girls with jugs on their heads
Passing by outside and drenched by the sun
Cut across thick crowds of people at the fair,
People mixed up with the lights of the stands, with the night and the
        moonlight,
And the two groups meet and blend
Until they form just one which is both...
The fair, the fair lights, the people at the fair
And the night that seizes the fair and lifts it into the air
Are above the tops of the trees drenched by the sun,
They're visible beneath the rocks that gleam in the sun,
They pop out from behind the jugs carried on the girls' heads,
And the whole of this spring landscape is the moon above the fair,
And the whole fair, with its sounds and lights, is the ground of this sunny
        day...

Suddenly someone shakes this twofold hour as if in a sieve,
And the powder of the two realities, mixed together, falls
On my hands full of drawings of ports
Where huge sailing ships are casting off with no intention of returning...

Pó de ouro branco e negro sobre os meus dedos...
As minhas mãos são os passos daquela rapariga que abandona a feira,
Sozinha e contente como o dia de hoje...

VI

O maestro sacode a batuta,
E lânguida e triste a música rompe...
Lembra-me a minha infância, aquele dia
Em que eu brincava ao pé dum muro de quintal
Atirando-lhe com uma bola que tinha dum lado
O deslizar dum cão verde, e do outro lado
Um cavalo azul a correr com um jockey amarelo...

Prossegue a música, e eis na minha infância
De repente entre mim e o maestro, muro branco,
Vai e vem a bola, ora um cão verde,
Ora um cavalo azul com um jockey amarelo...

Todo o teatro é o meu quintal, a minha infância
Está em todos os lugares, e a bola vem a tocar música
Uma música triste e vaga que passeia no meu quintal
Vestida de cão verde tornando-se jockey amarelo...
(Tão rápida gira a bola entre mim e os músicos...)

Atiro-a de encontro à minha infância e ela
Atravessa o teatro todo que está aos meus pés
A brincar com um jockey amarelo e um cão verde
E um cavalo azul que aparece por cima do muro
Do meu quintal... E a música atira com bolas
À minha infância... E o muro do quintal é feito de gestos

Powder of white and black gold on my fingers...
My hands are the steps of that girl leaving the fair,
Alone and contented like this day...

VI

The conductor waves his baton,
And the sad, languid music begins...
It reminds me of my childhood, of a day
I spent playing in my backyard, throwing a ball
Against the wall... On one side of the ball
Sailed a green dog, on the other side
A yellow jockey was riding a blue horse...

The music continues, and on the white wall of my childhood
That's suddenly between me and the conductor
The ball bounces back and forth, now a green dog,
Now a blue horse with a yellow jockey...

My backyard takes up the whole theater, my childhood
Is everywhere, and the ball starts to play music,
A sad hazy music that runs around my backyard
Dressed as a green dog turning into a yellow jockey...
(So quickly spins the ball between me and the musicians...)

I throw it at my childhood and it
Passes through the whole theater that's at my feet
Playing with a yellow jockey and a green dog
And a blue horse that looms above the wall
Of my backyard... And the music throws balls
At my childhood... And the wall is made of baton

De batuta e rotações confusas de cães verdes
E cavalos azuis e jockeys amarelos…

Todo o teatro é um muro branco de música
Por onde um cão verde corre atrás da minha saudade
Da minha infância, cavalo azul com um jockey amarelo…

E dum lado para o outro, da direita para a esquerda,
Donde há árvores e entre os ramos ao pé da copa
Com orquestras a tocar música,
Para onde há filas de bolas na loja onde a comprei
E o homem da loja sorri entre as memórias da minha infância…

E a música cessa como um muro que desaba,
A bola rola pelo despenhadeiro dos meus sonhos interrompidos,
E do alto dum cavalo azul, o maestro, jockey amarelo tornando-se preto,
Agradece, pousando a batuta em cima da fuga dum muro,
E curva-se, sorrindo, com uma bola branca em cima da cabeça,
Bola branca que lhe desaparece pelas costas abaixo…

Movements and wildly whirling green dogs,
Blue horses and yellow jockeys...

The whole theater is a white wall of music
Where a green dog runs after my nostalgia
For my childhood, a blue horse with a yellow jockey...

And from one side to the other, from right to left,
From the trees where orchestras play music in the upper branches
To the rows of balls in the shop where I bought my ball
And the shopkeeper smiles amid the memories of my childhood...

And the music stops like a wall that collapses,
The ball rolls over the cliff of my interrupted dreams,
And on top of a blue horse the conductor, a yellow jockey turning black,
Gives thanks while laying down his baton on a fleeing wall,
And he takes a bow, smiling, with a white ball on top of his head,
A white ball that rolls down his back out of sight...

8-III-1914

Um piano na minha rua…
    Crianças a brincar…
O sol de domingo e a sua
    Alegria a doirar…

A mágoa que me convida
    A amar todo o indefinido…
Eu tive pouco na vida
    Mas dói-me tê-lo perdido.

Mas já a vida vai alta
    Em muitas mudanças!
Um piano que me falta
    E eu não ser as crianças!

A piano on my street…
Children playing outside…
A Sunday, and the sun
Shining golden with joy…

My sorrow that makes me
Love all that's indefinite…
Though I had little in life,
It pains me to have lost it.

But my life already
Runs deep in changes…
A piano I miss hearing,
Those children I miss being!

25-II-1917

251

CANÇÃO

Sol nulo dos dias vãos,
Cheios de lida e de calma,
Aquece ao menos as mãos
A quem não entras na alma!

Que ao menos a mão, roçando
A mão que por ela passe,
Com externo calor brando
O frio da alma disfarce!

Senhor, já que a dor é nossa
E a fraqueza que ela tem,
Dá-nos ao menos a força
De a não mostrar a ninguém!

SONG

Useless sun of useless days
Full of bustle and calm,
Warm at least the hands of one
Whose soul you never enter!

May at least my hand, when touched
By another hand, dissemble
With gentle, outward warmth
The coldness of my soul!

Since this pain is ours, Lord,
And the weakness it entails,
Confer on us at least the strength
Not to show it to anyone!

15-I-1920

Ó curva do horizonte, quem te passa,
Passa da vista, não de ser ou 'star.
Não chameis à alma, que da vida esvoaça,
Morta. Dizei: Sumiu-se além no mar.

Ó mar sê símbolo da vida toda —
Incerto, o mesmo, e mais que o nosso ver!
Finda a viagem da morte e a terra à roda,
Voltam a alma e a nau a aparecer.

Whoever, horizon, passes beyond you
Passes from view, not from living or being.
Don't call the soul dead when it flies away.
Say: It vanished out there in the sea.

Be for us, sea, the symbol of all life —
Uncertain, unchanging, and more than our seeing!
Once Earth makes its circle and death its journey,
The ship and the soul will reappear.

11-I-1922

NATAL

Nasce um deus. Outros morrem. A Verdade
Nem veio nem se foi: o Erro mudou.
Temos agora uma outra Eternidade,
E era sempre melhor o que passou.

Cega, a Ciência a inútil gleba lavra.
Louca, a Fé vive o sonho do seu culto.
Um novo deus é só uma palavra.
Não procures nem creias: tudo é oculto.

CHRISTMAS

A God is born. Others die. The Truth
Didn't come or go: the Error changed.
Now we have a new Eternity,
Less good than what passed away.

Blind Science tills the useless earth.
Mad Faith lives in its holy reverie.
A new god is just a word.
Don't seek or believe: everything's hidden.

[25-XII-1922]

O ANDAIME

O tempo que eu hei sonhado
Quantos anos foi de vida!
Ah, quanto do meu passado
Foi só a vida mentida
De um futuro imaginado!

Aqui à beira do rio
Sossego sem ter razão.
Este seu correr vazio
Figura, anónimo e frio,
A vida vivida em vão.

A 'sp'rança que pouco alcança!
Que desejo vale o ensejo?
E uma bola de criança
Sobe mais que a minha 'sp'rança,
Rola mais que o meu desejo.

Ondas do rio, tão leves
Que não sois ondas sequer,
Horas, dias, anos, breves
Passam — verduras ou neves
Que o mesmo sol faz morrer.

Gastei tudo que não tinha.
Sou mais velho do que sou.
A ilusão, que me mantinha,
Só no palco era rainha:
Despiu-se, e o reino acabou.

THE SCAFFOLD

The time I've spent dreaming —
Years and years of my life!
Ah, how much of my past
Was only the false life
Of a future I imagined!

Here on the bank of the river
I grow calm for no reason.
Its empty flowing mirrors,
Cold and anonymous,
The life I've lived in vain.

How little hope ever attains!
What longing is worth the wait?
Any child's ball
Rises higher than my hope,
Rolls farther than my longing.

Waves of the river, so slight
That you aren't even waves,
The hours, days and years
Pass quickly — mere grass or snow
Which die by the same sun.

I spent all I didn't have.
I'm older than I am.
The illusion that kept me going
Was a queen only on stage:
Once undressed, her reign was over.

Leve som das águas lentas,
Gulosas da margem ida,
Que lembranças sonolentas
De esperanças nevoentas!
Que sonhos o sonho e a vida!

Que fiz de mim? Encontrei-me
Quando estava já perdido.
Impaciente deixei-me
Como a um louco que teime
No que lhe foi desmentido.

Som morto das águas mansas
Que correm por ter que ser,
Leva não só as lembranças
Mas as mortas esperanças —
Mortas, porque hão-de morrer.

Sou já o morto futuro.
Só um sonho me liga a mim —
O sonho atrasado e obscuro
Do que eu devera ser — muro
Do meu deserto jardim.

Ondas passadas, levai-me
Para o olvido do mar!
Ao que não serei legai-me,
Que cerquei com um andaime
A casa por fabricar.

Soft sound of these slow waters
Aching for shores you've passed,
How drowsy are the memories
Of misty hopes! What dreams
All dreaming and life amount to!

What did I make of my life?
I found myself when already lost.
Impatient, I let myself be,
As I might let a lunatic go on
Believing what I'd proved was wrong.

Dead sound of these gentle waters
That flow because they must,
Take not only my memories
But also my dead hopes —
Dead, because they must die.

I'm already my future corpse.
Only a dream links me to myself —
The hazy and belated dream
Of what I should have been — a wall
Around my abandoned garden.

Take me, passing waves,
To the oblivion of the sea!
Bequeath me to what I won't be —
I, who raised a scaffold
Around the house I've yet to build.

29-VIII-1924

A CEIFEIRA

Ela canta, pobre ceifeira,
Julgando-se feliz talvez;
Canta, e ceifa, e a sua voz, cheia
De alegre e anónima viuvez,

Ondula como um canto de ave
No ar limpo como um limiar,
E há curvas no enredo suave
Do som que ela tem a cantar.

Ouvi-la alegra e entristece,
Na sua voz há o campo e a lida,
E canta como se tivesse
Mais razões p'ra cantar que a vida.

Ah, canta, canta sem razão!
O que em mim sente 'stá pensando.
Derrama no meu coração
A tua incerta voz ondeando!

Ah, poder ser tu, sendo eu!
Ter a tua alegre inconsciência,
E a consciência disso! Ó céu!
Ó campo! ó canção! A ciência

Pesa tanto e a vida é tão breve!
Entrai por mim dentro! Tornai
Minha alma a vossa sombra leve!
Depois, levando-me, passai!

THE REAPER

She sings, poor reaper, believing
She's happy perhaps. She sings,
She reaps, and her voice, full
Of widowed, glad anonymity,

Wavers like the song of a bird
In the air as clean as a doorstep,
And there are curves in the soft tissue
Of the sound her song is weaving.

Hearing her cheers and saddens,
The field and its toil are in her voice,
And she sings as if she had
More reasons than life for singing.

Ah, sing, sing for no reason!
In me what feels is always
Thinking. Pour into my heart
Your waving, uncertain voice!

Ah, to be you while being I!
To have your glad unconsciousness
And be conscious of it! O sky!
O field! O song! Knowledge

Is so heavy and life so brief!
Enter inside me! Make
My soul your weightless shadow!
And take me with you, away!

[published in 1924]

263

QUALQUER MÚSICA...

Qualquer música, ah, qualquer,
Logo que me tire da alma
Esta incerteza que quer
Qualquer impossível calma!

Qualquer música — guitarra,
Viola, harmónio, realejo...
Um canto que se desgarra...
Um sonho em que nada vejo...

Qualquer coisa que não vida!
Jota, fado, a confusão
Da última dança vivida...
Que eu não sinta o coração!

SOME MUSIC

Some music, any music at all,
As long as it casts from my soul
This uncertainty that craves
Some kind of impossible calm!

Some music — guitar, violin,
Accordion or hurdy-gurdy...
A quick, improvised melody...
A dream in which I see nothing...

Something that life has no part in!
Fado, bolero, the frenzy
Of the dance that just ended...
Anything not to feel the heart!

9-X-1927

Contemplo o lago mudo
Que uma brisa estremece.
Não sei se penso em tudo
Ou se tudo me esquece.

O lago nada me diz,
Não sinto a brisa mexê-lo.
Não sei se sou feliz
Nem se desejo sê-lo.

Trémulos vincos risonhos
Na água adormecida.
Por que fiz eu dos sonhos
A minha única vida?

I contemplate the silent pond
Whose water is stirred by a breeze.
Am I thinking about everything,
Or has everything forgotten me?

The pond tells me nothing.
I can't feel the breeze stir it up.
I don't know if I'm happy
Or even if I want happiness.

O smiling ripples that flutter
Across the water that's sleeping,
Why did I make my only life
A life made only of dreams?

4-VIII-1930

Não sei quantas almas tenho.
Cada momento mudei.
Continuamente me estranho.
Nunca me vi nem achei.
De tanto ser, só tenho alma.
Quem tem alma não tem calma.
Quem vê é só o que vê.
Quem sente não é quem é.

Atento ao que sou e vejo,
Torno-me eles e não eu.
Cada meu sonho ou desejo,
É do que nasce, e não meu.
Sou minha própria paisagem,
Assisto à minha passagem,
Diverso, móbil e só.
Não sei sentir-me onde estou.

Por isso, alheio, vou lendo
Como páginas, meu ser.
O que segue não prevendo,
O que passou a esquecer.
Noto à margem do que li
O que julguei que senti.
Releio e digo, «Fui eu?»
Deus sabe, porque o escreveu.

I don't know how many souls I have.
I've changed at every moment.
I always feel self-estranged.
I've never seen or found myself.
From being so much, I have only soul.
A man who has soul has no calm.
A man who sees is just what he sees.
A man who feels is not who he is.

Attentive to what I am and see,
I become them and stop being I.
Each of my dreams and each desire
Belongs to whoever had it, not me.
I am my own landscape,
I watch myself journey —
Various, in motion, and alone.
Here where I am I can't feel myself.

That's why I read, as a stranger,
My being as if it were pages.
Not knowing what will come
And forgetting what has passed,
I note in the margin of my reading
What I thought I felt.
Rereading, I wonder: "Was that me?"
God knows, because he wrote it.

24-VIII-1930

Deixo ao cego e ao surdo
    A alma com fronteiras,
Que eu quero sentir tudo
    De todas as maneiras.

Do alto de ter consciência
    Contemplo a terra e o céu,
Olho-os com inocência:
    Nada que vejo é meu.

Mas vejo tão atento
    Tão neles me disperso
Que cada pensamento
    Me torna já diverso.

E como são estilhaços
    Do ser, as coisas dispersas,
Quebro a alma em pedaços
    E em pessoas diversas.

E se a própria alma vejo
    Com outro olhar,
Pergunto se há ensejo
    De por minha a julgar.

Ah, tanto como a terra
    E o mar e o vasto céu,

The soul with boundaries
Is for the deaf and blind;
I want to feel everything
In every possible way.

From the summit of being conscious,
I gaze at the earth and sky,
Looking at them with innocence:
Nothing I see is mine.

But I see them so intently
And am so dispersed in them,
That every thought I think
Makes me into someone else.

Since every dispersed facet
Is another sliver of being,
I break my soul into pieces
And into various persons.

If my very own soul
I see with other eyes,
Can I ever rightly say
That this soul is mine?

If I think I belong to me,
I'm merely self-deceived.

Quem se crê próprio erra,
    Sou vário e não sou meu.

Se as coisas são estilhaços
    Do saber do universo,
Seja eu os meus pedaços,
    Impreciso e diverso.

Se quanto sinto é alheio
    E de mim se sente,
Como é que a alma veio
    A conceber-se um ente?

Assim eu me acomodo
    Com o que Deus criou,
Deus tem diverso modo,
    Diversos modos sou.

Assim a Deus imito,
    Que quando fez o que é
Tirou-lhe o infinito
    E a unidade até.

I'm diverse and not my own,
Like sky and land and sea.

If all things are but slivers
Of the universal intelligence,
It's good that I'm my parts,
Hazy and divergent.

If all that I feel is other
And all I feel is from me,
How did my soul ever come
To consider itself an entity?

I've learned to adapt my self
To the world God has made.
His mode of being is different:
My being has different modes.

Thus I imitate God,
Who when he made what is
Took from it the infinite
And even its unity.

24-VIII-1930

Quero ser livre, insincero,
Sem crença, dever ou posto.
Prisões, nem de amor as quero,
Não me amem, porque não gosto.

Quando canto o que não minto
E choro o que sucedeu,
É que esqueci o que sinto
E julgo que não sou eu.

De mim mesmo viandante
Colho as músicas na aragem,
Que a minha própria alma errante
É uma canção de viagem

Pois cai um grande e calmo efeito
De nada ter razão de ser
Do céu nulo como um direito
Na terra vil como um dever.

A chuva morta ainda ensopa
O chão nocturno do céu limpo,
E faço, sob a aguada roupa,
Figuras sociais a tempo.

I want to be free and insincere,
With no creed, duty, or titled post.
I loathe all prisons, love included.
Whoever would love me, please don't!

When I cry about what happened
And sing about what isn't false,
It's because I've forgotten what I feel
And suppose I'm someone else.

A wanderer through my own being,
I pull songs from out of the breeze,
And my errant soul is itself
A song for singing on journeys.

Because a great and calming effect
Of nothing having a reason to be
Falls from the vacant sky like a right
Onto the worthless earth like a duty.

Dead rain from the now clear sky still soaks
The nocturnal ground, and I, just in time,
Beneath my wet clothes, assume the role
Of one or another social type.

26-VIII-1930

AUTOPSICOGRAFIA

O poeta é um fingidor.
Finge tão completamente
Que chega a fingir que é dor
A dor que deveras sente.

E os que lêem o que escreve,
Na dor lida sentem bem,
Não as duas que ele teve,
Mas só a que eles não têm.

E assim nas calhas de roda
Gira, a entreter a razão,
Esse comboio de corda
Que se chama o coração.

AUTOPSYCHOGRAPHY

The poet is a feigner
Who's so good at his act
He even feigns the pain
Of pain he feels in fact.

And those who read his words
Will feel in his writing
Neither of the pains he has
But just the one they're missing.

And so around its track
This thing called the heart winds,
A little clockwork train
To entertain our minds.

1-IV-1931

277

A morte é a curva da estrada,
Morrer é só não ser visto.
Se escuto, eu te oiço a passada
Existir como eu existo.

A terra é feita de céu.
A mentira não tem ninho.
Nunca ninguém se perdeu.
Tudo é verdade e caminho.

Death is a bend in the road,
To die is to slip out of view.
If I listen, I hear your steps
Existing as I exist.

The earth is made of heaven.
Error has no nest.
No one has ever been lost.
All is truth and way.

23-V-1932

ISTO

Dizem que finjo ou minto
Tudo que escrevo. Não.
Eu simplesmente sinto
Com a imaginação.
Não uso o coração.

Tudo que sonho ou passo,
O que me falha ou finda,
É como que um terraço
Sobre outra cousa ainda.
Essa cousa é que é linda.

Por isso escrevo em meio
Do que não está ao pé,
Livre do meu enleio,
Sério do que não é.
Sentir? Sinta quem lê!

THIS

They say I lie or feign
In all I write. Not true.
It's simply that I feel
By way of imagination.
The heart I never use.

All I dream or live,
All that fails me or simply
Ends, is like a terrace
Covering some other thing.
That thing is what's lovely.

That's why I write in the midst
Of whatever isn't near me,
Freed from my reality,
Serious about what isn't.
Feel? That's up to the reader!

[published in April of 1933]

Viajar! Perder países!
Ser outro constantemente,
Por a alma não ter raízes
De viver de ver somente!

Não pertencer nem a mim!
Ir em frente, ir a seguir
A ausência de ter um fim,
E da ânsia de o conseguir!

Viajar assim é viagem.
Mas faço-o sem ter de meu
Mais que o sonho da passagem.
O resto é só terra e céu.

To travel! To change countries!
To be forever someone else,
With a soul that has no roots,
Living only off what it sees!

To belong not even to me!
To go forward, to follow after
The absence of any goal
And any desire to achieve it!

This is what I call travel.
But there's nothing in it of me
Besides my dream of the journey.
The rest is just land and sky.

20-IX-1933

Neste mundo em que esquecemos
Somos sombras de quem somos
E os gestos reais que temos
No mundo em que almas vivemos
São aqui esgares e assomos.

Tudo é nocturno e confuso
No que entre nós aqui há:
Projecções, fumo difuso
Do lume que brilha ocluso
Ao olhar que a vida dá.

Mas um ou outro, um momento,
Olhando bem, pode ver
Na sombra e seu movimento
Qual no outro mundo é o intento
Do gesto que o faz viver,

E então encontra o sentido
Do que aqui está a esgarar
E volve ao seu corpo ido,
Imaginado e entendido,
A intuição de um olhar.

Sombra do corpo saudosa,
Mentira que sente o laço
Que a liga à maravilhosa
Verdade que a lança, ansiosa,
No chão do tempo e do espaço.

In this world where we forget,
We are shadows of who we are,
And the real actions we perform
In the other world, where we live as souls,
Are here wry grins and appearances.

Night and confusion engulf
Everything we know down here:
Projections and scattered smoke
From that fire whose glow is invisible
To the eyes we're given by life.

But one man or another, looking
Closely, can see for a moment
In the shadows and their shifting
The purpose in the other world
Of the actions that make him live.

Thus he discovers the meaning
Of what down here are just grins,
And his gaze's intuition
Returns to his far-off body,
Imagined and understood.

Homesick shadow of that body,
Though a lie, it feels the cord
Connecting it to the sublime
Truth that avidly casts it
On the ground of space and time.

9-V-1934

Tenho em mim como uma bruma
Que nada é nem contém
A saudade de coisa nenhuma,
O desejo de qualquer bem.

Sou envolvido por ela
Como por um nevoeiro
E vejo luzir a última estrela
Por cima da ponta do meu cinzeiro.

Fumei a vida. Que incerto
Tudo quanto vi ou li!
E todo o mundo é um grande livro aberto
Que em ignorada língua me sorri.

I have in me like a haze
Which holds and which is nothing
A nostalgia for nothing at all,
The desire for something vague.

I'm wrapped by it
As by a fog, and I see
The final star shining
Above the stub in my ashtray.

I smoked my life. How uncertain
All I saw or read! And all
The world is a great open book
That smiles at me in an unknown tongue.

16-VII-1934

LIBERDADE

Em estantes altas até ao tecto adornam o aposento do preguiçoso todos os arrazoados e crónicas.

SÉNECA

Ai que prazer
Não cumprir um dever,
Ter um livro para ler
E não o fazer!
Ler é maçada,
Estudar é nada.
O sol doura
Sem literatura.
O rio corre, bem ou mal,
Sem edição original.
E a brisa, essa,
De tão naturalmente matinal,
Como tem tempo não tem pressa.

Livros são papéis pintados com tinta.
Estudar é uma coisa em que está indistinta
A distinção entre nada e coisa nenhuma.

Quanto é melhor, quando há bruma,
Esperar por D. Sebastião,
Quer venha ou não!

Grande é a poesia, a bondade e as danças...
Mas o melhor do mundo são crianças,

FREEDOM

All manner of orations and histories, on shelves reaching up to the ceiling, adorn the home of the lazy man.

SENECA

Ah, what a pleasure
To leave a task undone,
To have a book to read
And not even crack it!
Reading is a bore,
And studying isn't anything.
The sun shines golden
Without any literature.
The river flows, fast or slow,
Without a first edition.
And the breeze, belonging
So naturally to morning,
Has time, it's in no hurry.

Books are just paper painted with ink.
And to study is to distinguish, indistinctly,
Between nothing and not a thing.

How much better, when it's foggy,
To wait for King Sebastian,
Whether or not he ever shows!

Poetry, dancing and charity are great things,
But what's best in the world are children, flowers,

Flores, música, o luar, e o sol, que peca
Só quando, em vez de criar, seca.

O mais do que isto
É Jesus Cristo,
Que não sabia nada de finanças
Nem consta que tivesse biblioteca...

Music, moonlight and the sun, which only sins
When it withers instead of making things grow.

Greater than this
Is Jesus Christ,
Who knew nothing of finances
And had no library, as far as we know…

16-III-1935

CONSELHO

Cerca de grandes muros quem te sonhas.
Depois, onde é visível o jardim
Através do portão de grade dada,
Põe quantas flores são as mais risonhas,
Para que te conheçam só assim.
Onde ninguém o vir não ponhas nada.

Faze canteiros como os que outros têm,
Onde os olhares possam entrever
O teu jardim como lho vais mostrar.
Mas onde és teu, e nunca o vê ninguém,
Deixa as flores que vêm do chão crescer
E deixa as ervas naturais medrar.

Faze de ti um duplo ser guardado;
E que ninguém, que veja e fite, possa
Saber mais que um jardim de quem tu és —
Um jardim ostensivo e reservado,
Por trás do qual a flor nativa roça
A erva tão pobre que nem tu a vês...

ADVICE

Surround who you dream you are with high walls.
Then, wherever the garden can be seen
Through the iron bars of the gate,
Plant only the most cheerful flowers,
So that you'll be known as a cheerful sort.
Where it can't be seen, don't plant anything.

Lay flower beds, like other people have,
So that passing gazes can look in
At your garden as you're going to show it.
But where you're all your own and no one
Ever sees you, let wild flowers spring up
Spontaneously, and let the grass grow naturally.

Make yourself into a well-guarded
Double self, letting no one who looks in
See more than a garden of who you are —
A showy but private garden, behind which
The native flora brushes the grass,
So straggly that not even you see it...

[published in November of 1935]

de Mensagem (1934)

ULISSES

O mito é o nada que é tudo.
O mesmo sol que abre os céus
É um mito brilhante e mudo —
O corpo morto de Deus,
Vivo e desnudo.

Este, que aqui aportou,
Foi por não ser existindo.
Sem existir nos bastou.
Por não ter vindo foi vindo
E nos criou.

Assim a lenda se escorre
A entrar na realidade,
E a fecundá-la decorre.
Em baixo, a vida, metade
De nada, morre.

from Message (1934)

ULYSSES

Myth is the nothing that is everything.
The very sun that breaks through the skies
Is a bright and wordless myth —
God's dead body,
Naked and alive.

This hero who cast anchor here,
Because he never was, slowly came to exist.
Without ever being, he sufficed us.
Having never come here,
He came to be our founder.

Thus the legend, little by little,
Seeps into reality,
Spreading and enriching it.
Life down below, half
Of nothing, perishes.

D. DINIS

Na noite escreve um seu Cantar de Amigo
O plantador de naus a haver,
E ouve um silêncio múrmuro consigo:
É o rumor dos pinhais que, como um trigo
De Império, ondulam sem se poder ver.

Arroio, esse cantar, jovem e puro,
Busca o oceano por achar;
E a fala dos pinhais, marulho obscuro,
É o som presente desse mar futuro,
É a voz da terra ansiando pelo mar.

KING DINIZ

At night the planter of ships to be
Writes down one of his troubadour songs
And hears in himself a whispering silence:
The sound of pine groves which, unseen,
Wave like a field of wheat for an Empire.

A stream, that young and so pure song
Seeks the ocean none have found.
And the pine trees' speech, a hazy surging,
Is the present sound of that future ocean;
It's the voice of earth that craves the sea.

O INFANTE

Deus quer, o homem sonha, a obra nasce.
Deus quis que a terra fosse toda uma,
Que o mar unisse, já não separasse.
Sagrou-te, e foste desvendando a espuma,

E a orla branca foi de ilha em continente,
Clareou, correndo, até ao fim do mundo,
E viu-se a terra inteira, de repente,
Surgir, redonda, do azul profundo.

Quem te sagrou criou-te português.
Do mar e nós em ti nos deu sinal.
Cumpriu-se o Mar, e o Império se desfez.
Senhor, falta cumprir-se Portugal!

PRINCE HENRY

God wills, man dreams, the work is born.
God willed that all the earth be one,
That the sea unite rather than divide it.
Anointed by Him, you unveiled the foam,

And the white crest went from island to continent,
A path of light to the world's end,
And all at once the entire earth
Appeared, round, from out of the blue.

The One who anointed you made you Portuguese,
A sign to us of our pact with the sea.
The Sea was won, the Empire undone.
Lord, we still must win Portugal!

MAR PORTUGUÊS

Ó mar salgado, quanto do teu sal
São lágrimas de Portugal!
Por te cruzarmos, quantas mães choraram,
Quantos filhos em vão rezaram!
Quantas noivas ficaram por casar
Para que fosses nosso, ó mar!

Valeu a pena? Tudo vale a pena
Se a alma não é pequena.
Quem quer passar além do Bojador
Tem que passar além da dor.
Deus ao mar o perigo e o abismo deu,
Mas nele é que espelhou o céu.

PORTUGUESE SEA

O salty sea, so much of whose salt
Is Portugal's tears! All the mothers
Who had to weep for us to cross you!
All the sons who prayed in vain!
All the brides-to-be who never
Married for you to be ours, O sea!

Was it worth doing? Everything's worth doing
If the soul of the doer isn't small.
Whoever would go beyond the Cape
Must go beyond sorrow.
God placed danger and the abyss in the sea,
But he also made it heaven's mirror.

English Poems

The state of mind of what is high and poetic in contemporary Portuguese souls being precisely similar to the Elizabethan state of mind (for reasons which only a very extensive sociological disquisition could render evident), it is clear that a contemporary Portuguese, not altogether a foreigner to more than the vestibule of the house of the Muses, who should possess in an equal degree the English and the Portuguese languages, will, naturally, spontaneously and unforcedly, lapse, if he write in English, into a style not very far removed from the Elizabethan, though, of course, with certain marked and essential differences. I am, as far as I can confess, in this position (…).

(from a letter to the Poetry Society in England, dated 26 December 1912)

These poems contain, here and there, certain eccentricities and peculiarities of expression; do not attribute these to the circumstance of my being a foreigner, nor indeed consider me a foreigner in your judgment of these poems. I practise the same thing, to a far higher degree, in Portuguese. (…)

The fact is that these are forms of expression necessarily created by an extreme pantheistic attitude, which, as it breaks the limits of definite thought, so must violate the rules of logical meaning.

(from a cover letter sent with poems from *The Mad Fiddler* to an English publisher on 23 October 1915)

two poems of Alexander Search

TO ONE PLAYING

Play on with that music all lonely
Wandering through me like a breeze
Half-lost in the calm of night,
A melody half-heard only
Like the sound of stupendous seas
That in motion feel a delight.

For in thy rhythm soft and pealing,
For thou in that meterless rhyme
Awakest in me a spirit stress,
A widening, deadening of feeling
That is to my normal consciousness
As Eternity is to Time.

December of 1905

ON THE ROAD

In a cart.

Here we go while morning life hums
    In the sunlight's golden ocean,
And upon our faces a freshness comes,
    A freshness whose soul is motion.

Up the hills, up! Down to the vales!
    Now in the plains more slow!
Now in swift turns the shaken cart reels.
    Soundless in sand now we go!

But we must come to some village or town,
    And our eyes show sorrow at it.
Could we for ever and ever go on
    In the sun and air that we hit;

On an infinite road, at a mighty pace,
    With endless and free commotion,
With the sun e'er round us and on our face
    A freshness whose soul is motion!

26-X-1908

from 35 Sonnets

XIII

When I should be asleep to mine own voice
In telling thee how much thy love's my dream,
I find me listening to myself, the noise
Of my words othered in my hearing them.
Yet wonder not: this is the poet's soul.
I could not tell thee well of how I love,
Loved I not less by knowing it, were all
My self my love and no thought love to prove.
What consciousness makes more by consciousness,
It makes less, for it makes it less itself.
My sense of love could not my love rich-dress
Did it not for it spend love's own love-pelf.
    Poet's love's this (as in these works I prove thee):
    I love my love for thee more than I love thee.

XXVIII

The edge of the green wave whitely doth hiss
Upon the wetted sand. I look, yet dream.
Surely reality cannot be this!
Somehow, somewhere this surely doth but seem!
The sky, the sea, the great extent disclosed
Of outward joy, this bulk of world we feel,
Is not something, but something interposed.
Only what in this is not this is real.
If this be to have sense, if to be awake
Be but to see this bright, great sleep of things,
For the rarer potion mine own dreams I'll take
And for truth commune with imaginings,
    Holding a dream too bitter, a too fair curse,
    This common sleep of men, the universe.

from The Mad Fiddler

NOT MYSELF

I feel pale and I shiver.
    What power of the moonlight
Tremulous under the river
    Thus pains me with delight?

What spell told by the moon
    Unlooses all my soul?
O speak to me! I swoon!
    I fade from life's control!

I am a far spirit, e'en
    In the felt place of me.
O river too serene
    For my tranquillity!

O ache somehow of living!
    O sorrow for something!
O moon-pain the sense-giving
    That I am vainly king

In some spell-bound realm mute,
    In a lunar land lone!
O ache as of a dying flute
    When we would have't play on!

CHALICE

Chalice of my communion
    With the lost thing that gleams!
Communion-bond of union
    Between me and my dreams!
O chalice of love's most!
In thy wine, earth's wine's ghost
    To lips that are God's flowers,
My soul has dipped the host
    Of my diviner hours.

My lips are as lips kissed.
    My sad soul happy sings.
O shining through the mist
    Of tremulous angels' wings!
I feel me God's moon's node,
A child again, outside life's road,
    Remembering how I found me
When I awoke from God
    And felt the world around me.

10-I-1913

INVERSION

Here in this wilderness
    Each tree and stone fills me
    With the sadness of a great glee.
God in His altogetherness
    Is whole-part of each stone and tree.

An inner outward seeingness
    Makes my clear self unknown.
    (O Godfully alone!)
God in His overbeingness
    Survives His death each tree and every stone.

Ay, in the barkness and clodfulness
    Of tree and sand and stone
    God is only His Own,
God in all His godfulness,
    Whose concrete soul's each thing's abstraction.

8-II-1913

Most of the cited passages from Pessoa's prose writings can be found in *The Selected Prose of Fernando Pessoa* (New York, Grove Press, 2001). The corresponding Portuguese texts are available in various editions, including *Obra Essencial de Fernando Pessoa*, vols. III, V, VII, Lisbon, Assírio & Alvim, 2006-07. The Portuguese text for the poems follows the text established in *Obra Essencial*, vols. II and IV (Assírio & Alvim, 2006-07), where the variants are exhaustively listed. Here only the more significant ones are recorded, and it sometimes happens that what had been listed as a variant appears here in the main text, having been preferred for the translation.

ALBERTO CAEIRO

The Keeper of Sheep. Most if not all of the 49 poems in this sequence were written in 1914-15, but Pessoa continued to work on them — making a number of small changes, as well as some large ones — throughout the rest of his life. Of the poems included here, the following were published in the magazine *Athena*, no. 4, in 1925: I, IX, XX, XXIV, XXX, XXXIX, XLVII, XLVIII.

XXII Variant of *Na cara* [*In the face*] in v. 4: *Na soma* [*In the ensemble*]. Variant, in the final verse, of *é que isso é* [*is what it means*]: *é meu dever* [*is how I ought*].

XLVII Pessoa cited, more than once, the fifteenth verse of this poem — "Nature is parts without a whole" — as the single most important verse in all the poetry attributed to Caeiro.

The Shepherd in Love. The title of this group of eight poems was translated by the author as *The Lovesick Shepherd* in some fragmentary texts — left unpublished at his death — to promote the work of Alberto Caeiro abroad.

Uncollected Poems. The following poems were published in the magazine *Athena*, no. 5, in 1925: "When spring returns," "You who are a mystic see a meaning in all things" and "To see the fields and the river."

"Ah! They want a light that's better than the sun's!" Variant of *nem mim* [*and without me*] in the penultimate verse: *nem erros* [*or errors*]. Variant of *absoluta e inteira* [*complete and absolute*] in the final verse: *exacta e inteira* [*exact and complete*].

"I enjoy the fields without paying them any notice." Variants of final verse: *E só um resto de vida ouve/soa/serve/esquece* [*And only a vestige of life is heard/sounds/avails/is forgotten*].

"I can also make conjectures." Published in the magazine *Presença*, March-June 1931, under the title "Next to the Last Poem" and without the dedication to Ricardo Reis, which appears on the original manuscript. (Caeiro's "last poem" — a translation of which can be found in *Fernando Pessoa & Company* — was supposedly dictated by him on his deathbed.)

RICARDO REIS

Fernando Pessoa planned to publish the odes of this classicist heteronym in from two to five "books." He organized only the first such book, published in *Athena*, no. 1, 1924. It consisted of twenty odes, including five translated here: "The gods grant nothing more than life," "As if each kiss," "I want the flower you are, not the one you give," "The new summer that newly brings" (published without the dedication to Caeiro that appears on the original manuscript), and "Don't try to build in the space you suppose."

"Ah, you believers in Christs and Marys." Variant of *altar natural* [*natural altar*] in v. 2 of the sixth stanza: *altar imortal* [*immortal altar*].

"Obey the law, whether it's wrong or you are." Variants of v. 4: *Não odeies nem creias* [*Don't hate or believe*] and *Não odies* [sic] *nem queiras* [*Don't hate or desire*]. Variants of *a doada mente* [*the mind you've been given*], in v. 5: *a própria mente* [*your own mind*] and *a postiça mente* [*your false mind*]. Variant of *és servo, grato* [*you're a servant of*] in v. 6: *és dono, grato* [*you're the master thanks to*]. Variant of *finge* [*pretends*] in v. 8: *mora* [*resides*]. Variant of *súbita* [*hasty*] in v. 13: *mórbida* [*morbid*]. Variant of *imenso* [*vast*] in the final verse: *externo* [*external*].

"I want the flower you are, not the one you give." Álvaro de Campos, in a prose piece "outing" Ricardo Reis, notes that the adjective *avaro* [*stingy* or *ungenerous*], used to describe the lover addressed by the ode, is masculine ("If you, ungenerous, are plucked / By the hand of the dire sphinx" would be a more literal translation of the phrase in question). Campos claimed that Lydia, Chloe and several other maidens invoked by the classicist poet were a ruse for his real romantic interest: young men.

"On each ignorant neck weighs the dread sentence." Variant of *atroz* [*dread*] in v. 1: *igual* [*same*]. Variants of *algoz ignoto* [*unknown executioner*]: *ignota sorte* [*unknown fate*] and *ignota morte* [*unknown death*]. Variants of *Pesa a sentença atroz do algoz ignoto* [*weighs the dread sentence / Of the unknown executioner*]: *Pesa o decreto atroz do fim certeiro* [*weighs the dread decree / Of their certain end*] and *Pesa o decreto igual do fim diverso* [*weighs the same decree / Of their different end*]. Variants of *cerviz néscia* [*ignorant neck*]: *cerviz viva* [*living neck*], *cerviz serva* [*servant neck*], *mortal corpo* [*mor-*

tal body] and *breve corpo* [*brief body*]. Variant of *tempo* [*time*] in the second stanza: *'spaço* [*space* or *interval*]. Variant of *Brincar* [*play*] in the final verse: *Viver* [*live*].

"To be great, be whole: don't exaggerate." Published in *Presença*, February 1933.

ÁLVARO DE CAMPOS

"Triumphal Ode." Designated by its author as a "futurist ode," this was the first poem written in the name of Álvaro de Campos, in June of 1914. It was published in the magazine *Orpheu*, no. 1, in 1915.

"Time's Passage." Pessoa left eight longish passages, as well as some isolated verses, for this poem that he never organized into a finished whole. The passage presented here, however, can stand on its own as a complete poem — one of the most stunning produced by Pessoa's hand. The verse in French quoted towards the end of the long second stanza is by Alfred de Musset (1810-1857).

"Lisbon Revisited (1923)." Published in the magazine *Contemporânea*, February 1923.

"Lisbon Revisited (1926)." Published in *Contemporânea*, June 1926.

"The Tobacco Shop." Published in *Presença*, July 1933. The original title, in the manuscript, was "Marcha da Derrota" [March of Defeat].

"Wet Rag." Published in *Presença*, March-June 1931.

"I'd like to be able to like liking." The citation from Augustine continues: *quaerebam quid amarem, amans amare*. The entire sentence may be translated as: "I did not yet love, but I loved loving; I sought something to love, in love with loving."

FERNANDO PESSOA (HIMSELF)

"O church bell of my village." Published in the magazine *A Renascença*, February 1914, and again in *Athena*, no. 3, December 1924 (printed date, but actually issued several months later). The second version, with slight differences in the third stanza, is published here. In a letter sent to his future biographer, João Gaspar Simões, in December of 1931, Pessoa revealed that the "village" of the poem was Chiado, the centrally located neighborhood of Lisbon where he was born and spent his first five years; the "church bell" was of the Chiado church where he was baptized.

"Abdication." Published in the magazine *Ressurreição*, February 1920.

"Slanting Rain." Published in *Orpheu*, no. 2, 1915, with the subtitle "Intersectionist Poems."

"Song." Published three times by Pessoa, initially in the magazine *Ilustração Portuguesa*, February 1922.

"Christmas." Published in *Contemporânea*, December 1922.

"The Scaffold." Published in *Presença*, March-June 1931.

"The Reaper." Published in the magazine *Terra Nossa*, September 1916 and, with significant revisions, in *Athena*, no. 3 (dated December 1924, but issued several months later). The latter version is published here.

"Some Music." Published in *Presença*, November 1928.

"I don't know how many souls I have." Variant of vv. 5-6: *De tanto ser, não conheço. / Mudaram-me sempre o preço* [*Being so much, I don't know me. / My worth is always changing*]. The manuscript contains two fragmentary stanzas not included here.

"Autopsychography." Published in *Presença*, November 1932.

"This." Published in *Presença*, April 1933.

"Freedom." This was the first of many anti-Salazar poems written by Pessoa in his last year. The penultimate verse is a direct dig at the dictator, who began his meteoric rise to power as Portugal's finance minister, in 1928. This and other such poems were largely motivated by Salazar's warning, in a speech proffered on 21 February 1935, that the works of writers should be sensitive to and even promote the "moral and patriotic principles" of his so-called New State (Estado Novo). The Prime Minister ended his speech with the quotation from Seneca that appears here as the poem's epigraph. Pessoa, who merely indicated on his manuscript that an unspecified citation from Seneca was to precede the poem, surely had this "re-citation" in mind. King Sebastian (1554-1578), mentioned in the third stanza, commanded a disastrous military expedition to Morocco, resulting in 60 years of Spanish domination in Portugal. Since Sebastian's body was not found on the battlefield, a myth sprung up that he (or a descendent, or a symbolic replacement) would return one foggy morning.

"Advice." Published in the magazine *Sudoeste*, no. 3.

Message. Pessoa planned to write a book of poetry titled *Portugal* and inspired by the nation's history as early as 1910, but its ultimate structure only took shape in the late 1920s. and a number of its 44 poems were not written until 1934, the year the book was finally published. The title was changed from *Portugal* to *Message* when the book was already in production. Its guiding sentiment was defined by Pessoa as "mystical nationalism." The poems employ symbols and evoke mystery to endow quasi-esoteric meaning on factual and legendary events of Portuguese history, and nostalgia for the past is used to kindle a Messianic hope for Portugal's fu-